NOUVEAUX CLASSIQUES LAROUSSE

Col

W9-CFY-194

continuée par
LÉON LEJEALLE (1949 à 1968)   et JEAN-POL CAPUT (1969 à 1972)
Agrégés des Lettres

LES FOURBERIES
DE SCAPIN

secrets, trickeries

comédie

« LES FOURBERIES DE SCAPIN » A LA COMÉDIE-FRANÇAISE (1956)

Argante (Georges Baconnet) et Scapin (Robert Hirsch)

MOLIÈRE

LES FOURBERIES DE SCAPIN

comédie

avec une Notice biographique, une Notice historique et littéraire,
des Notes explicatives, une Documentation thématique, des Jugements,
un Questionnaire et des Sujets de devoirs,
par
JACQUES MONFÉRIER

Agrégé des Lettres,
Assistant à la Faculté des Lettres et des Sciences humaines
de Bordeaux

LIBRAIRIE LAROUSSE

17, rue du Montparnasse, et boulevard Raspail, 114
Succursale : 58, rue des Écoles (Sorbonne)

RÉSUMÉ CHRONOLOGIQUE
DE LA VIE DE MOLIÈRE
1622-1673

1622 (15 janvier) — Baptême à **Paris**, à l'église Saint-Eustache, de Jean-Baptiste Poquelin, fils aîné du marchand tapissier Jean Poquelin et de Marie Cressé.

1632 (mai) — Mort de Marie Cressé.

1637 — Jean Poquelin assure à son fils Jean-Baptiste la survivance de sa charge de tapissier ordinaire du roi. (Cet office, transmissible par héritage ou par vente, assurait à son possesseur le privilège de fournir et d'entretenir une partie du mobilier royal; Jean Poquelin n'était évidemment pas le seul à posséder une telle charge.)

1639 (?) — Jean-Baptiste termine ses études secondaires au collège de Clermont (aujourd'hui lycée Louis-le-Grand), tenu par les Jésuites.

1642 — Il fait ses études de droit à Orléans et obtient sa licence. C'est peut-être à cette époque qu'il subit l'influence du philosophe épicurien Gassendi et lie connaissance avec les « libertins » Chapelle, Cyrano de Bergerac, d'Assoucy.

1643 (16 juin) — S'étant lié avec une comédienne, **Madeleine Béjart**, née en 1618, il constitue avec elle une troupe qui prend le nom d'**Illustre-Théâtre**; la troupe est dirigée par Madeleine Béjart.

1644 — Jean-Baptiste Poquelin prend le surnom de **Molière** et devient directeur de l'Illustre-Théâtre, qui, après des représentations en province, s'installe à Paris et joue dans des salles de jeu de paume désaffectées.

1645 — L'Illustre-Théâtre connaît des difficultés financières; Molière est emprisonné au Châtelet pour dettes pendant quelques jours.

1645 — Molière part pour la **province** avec sa troupe. Cette longue période
1658 de treize années est assez mal connue : on a pu repérer son passage à certaines dates dans telle ou telle région, mais on ne possède guère de renseignements sur le répertoire de son théâtre; il est vraisemblable qu'outre des tragédies d'auteurs contemporains (notamment Corneille) Molière donnait de courtes farces de sa composition, dont certaines n'étaient qu'un canevas sur lequel les acteurs improvisaient, à l'italienne. 1645-1653 — La troupe est protégée par le duc d'Epernon, gouverneur de Guyenne. Molière, qui a laissé d'abord la direction au comédien Dufresne, imposé par le duc, reprend lui-même (1650) la tête de la troupe : il joue dans les villes du Sud-Ouest (Albi, Carcassonne, Toulouse, Agen, Pézenas), mais aussi à Lyon (1650 et 1652). 1653-1657 — La troupe passe sous la protection du prince de Conti, gouverneur du Languedoc. Molière reste dans les mêmes régions : il joue le personnage de Mascarille dans deux comédies de lui (les premières dont nous ayons le texte) : *l'Étourdi,* donné à Lyon en **1655**, *le Dépit amoureux,* à Béziers en **1656.** 1657-1658 — Molière est maintenant protégé par le gouverneur de Normandie; il rencontre Corneille à Rouen; il joue aussi à Lyon et à Grenoble.

1658 — Retour à Paris de Molière et de sa troupe, qui devient « troupe de Monsieur »; le succès d'une représentation (*Nicomède* et une farce) donnée devant le roi (24 octobre) lui fait obtenir la **salle du Petit-Bourbon** (près du Louvre), où il joue en alternance avec les comédiens italiens.

1659 (18 novembre) — Première représentation des *Précieuses ridicules* (après *Cinna*) : grand succès.

1660 — *Sganarelle* (mai). Molière crée, à la manière des Italiens, le personnage de **Sganarelle,** qui reparaîtra, **toujours interprété par lui,** dans plusieurs comédies qui suivront. — Il reprend, son frère étant mort, la survivance de la charge paternelle (tapissier du roi) qu'il lui avait cédée en 1654.

© *Librairie Larousse*, 1972.   ISBN 2-03-034662-4

1661 — Molière, qui a dû abandonner le théâtre du Petit-Bourbon (démoli pour permettre la construction de la colonnade du Louvre), s'installe au **Palais-Royal**. *Dom Garcie de Navarre*, comédie héroïque : échec. *L'École des maris* (24 juin) : succès. *Les Fâcheux* (novembre), première comédie-ballet, jouée devant le roi, chez Fouquet, au château de Vaux-le-Vicomte.

1662 — **Mariage** de Molière avec **Armande Béjart** (sœur ou fille de Madeleine), de vingt ans plus jeune que lui. *L'École des femmes* (26 décembre) : grand succès.

1663 — Querelle à propos de l'*École des femmes*. Molière répond par *la Critique de l' « École des femmes »* (1ᵉʳ juin) et par *l'Impromptu de Versailles* (14 octobre).

1664 — Naissance et mort du premier enfant de Molière : Louis XIV en est le parrain. *Le Mariage forcé* (janvier), comédie-ballet. Du 8 au 13 mai, fêtes de l' « Île enchantée » à Versailles : Molière, qui anime les divertissements, donne *la Princesse d'Élide* (8 mai) et les trois premiers actes du *Tartuffe* (12 mai) : **interdiction** de donner à Paris cette dernière pièce. Molière joue *la Thébaïde*, de Racine.

1665 — *Dom Juan* (15 février) : malgré le succès, Molière, toujours critiqué par les dévots, retire sa pièce après quinze représentations. Louis XIV donne à la troupe de Molière le titre de « troupe du Roi » avec une pension de 6 000 livres (somme assez faible, puisqu'une bonne représentation au Palais-Royal rapporte, d'après le registre de La Grange, couramment 1 500 livres et que la première du *Tartuffe*, en 1669, rapportera 2 860 livres). *L'Amour médecin* (15 septembre). Brouille avec Racine, qui retire à Molière son *Alexandre* pour le donner à l'Hôtel de Bourgogne.

1666 — Molière, malade, cesse de jouer pendant plus de deux mois ; il loue une maison à Auteuil. *Le Misanthrope* (4 juin). *Le Médecin malgré lui* (6 août), dernière pièce où apparaît Sganarelle. En décembre, fêtes du « Ballet des Muses » à Saint-Germain : *Mélicerte* (2 décembre).

1667 — Suite des fêtes de Saint-Germain : Molière y donne encore *la Pastorale comique* (5 janvier) et *le Sicilien ou l'Amour peintre* (14 février). **Nouvelle version du Tartuffe**, sous le titre de *l'Imposteur* (5 août) : la pièce est **interdite** le lendemain.

1668 — *Amphitryon* (13 janvier). *George Dandin* (18 juillet). *L'Avare* (9 septembre).

1669 — Troisième version du *Tartuffe* (5 février), enfin **autorisé** : immense succès. Mort du père de Molière (25 février). A Chambord, *Monsieur de Pourceaugnac* (6 octobre).

1670 — *Les Amants magnifiques*, comédie-ballet (30 janvier à Saint-Germain). *Le Bourgeois gentilhomme*, comédie-ballet (14 octobre à Chambord).

1671 — *Psyché*, tragédie-ballet avec Quinault, Corneille et Lully (17 janvier), aux Tuileries, puis au Palais-Royal, aménagé pour ce nouveau spectacle. *Les Fourberies de Scapin* (24 mai). *La Comtesse d'Escarbagnas* (2 décembre à Saint-Germain).

1672 — Mort de Madeleine Béjart (17 février). *Les Femmes savantes* (11 mars). Brouille avec Lully, qui a obtenu du roi le privilège de tous les spectacles avec musique et ballets.

1673 — *Le Malade imaginaire* (10 février). A la quatrième représentation (17 février), Molière, pris en scène d'un malaise, est transporté chez lui, rue de Richelieu, et **meurt** presque aussitôt. N'ayant pas renié sa vie de comédien devant un prêtre, il n'avait, selon la tradition, pas le droit d'être enseveli en terre chrétienne : après intervention du roi auprès de l'archevêque, on l'enterre sans grande cérémonie à 9 heures du soir au cimetière Saint-Joseph.

Molière avait seize ans de moins que Corneille, neuf ans de moins que La Rochefoucauld, un an de moins que La Fontaine.
Il avait un an de plus que Pascal, quatre ans de plus que Mᵐᵉ de Sévigné, cinq ans de plus que Bossuet, quatorze ans de plus que Boileau, dix-sept ans de plus que Racine.

MOLIÈRE ET SON TEMPS

	vie et œuvre de Molière	le mouvement intellectuel et artistique	les événements politiques
1622	Baptême à Paris de J.-B. Poquelin (15 janvier).	Succès dramatiques d'Alarcon, de Tirso de Molina en Espagne.	Paix de Montpellier, mettant fin à la guerre de religion en Béarn.
1639	Quitte le collège de Clermont, où il a fait ses études.	Maynard : Odes. Tragi-comédies de Boisrobert et de Scudéry. Naissance de Racine.	La guerre contre l'Espagne et les Impériaux, commencée en 1635, se poursuit.
1642	Obtient sa licence en droit.	Corneille : la Mort de Pompée (décembre). Du Ryer : Esther.	Prise de Perpignan. Mort de Richelieu (4 décembre).
1643	Constitue la troupe de l'Illustre-Théâtre avec Madeleine Béjart.	Corneille : le Menteur. Ouverture des petites écoles de Port-Royal-des-Champs. Jeunesse à Paris de Lully.	Mort de Louis XIII (14 mai). Victoire de Rocroi (19 mai). Défaite française en Aragon.
1645	Faillite de l'Illustre-Théâtre.	Rotrou : Saint Genest, Corneille : Théodore, vierge et martyre.	Victoire française de Nördlingen sur les Impériaux (3 août).
1646	Reprend place avec Madeleine Béjart dans une troupe protégée par le duc d'Épernon. Va en province.	Cyrano de Bergerac : le Pédant joué. Saint-Amant : Poésies.	Prise de Dunkerque.
1650	Prend la direction de la troupe, qui sera protégée à partir de 1653 par le prince de Conti.	Saint-Évremond : la comédie des Académistes. Mort de Descartes.	Troubles de la Fronde : victoire provisoire de Mazarin sur Condé et les princes.
1655	Représentation à Lyon de l'Étourdi.	Pascal se retire à Port-Royal-des-Champs (janvier). Racine entre à l'école des Granges de Port-Royal.	Négociations avec Cromwell pour obtenir l'alliance anglaise contre l'Espagne.
1658	Arrive à Paris avec sa troupe, qui devient la « troupe de Monsieur » et occupe la salle du Petit-Bourbon.	Dorimond : le Festin de pierre.	Victoire des Dunes sur les Espagnols. Mort d'Olivier Cromwell.
1659	Représentation triomphale des Précieuses ridicules.	Villiers : le Festin de pierre. Retour de Corneille au théâtre avec Œdipe.	Paix des Pyrénées : l'Espagne cède l'Artois et le Roussillon à la France.
1660	Sganarelle ou le Cocu imaginaire.	Quinault : Stratonice (tragédie). Bossuet prêche le carême aux Minimes.	Mariage de Louis XIV et de Marie-Thérèse. Restauration des Stuarts.
1661	S'installe au Palais-Royal. Dom Garcie de Navarre. L'École des maris. Les Fâcheux.	La Fontaine : Élégie aux nymphes de Vaux.	Mort de Mazarin (8 mars). Arrestation de Fouquet (5 septembre).

1662	Se marie avec Armande Béjart. L'École des femmes.	Corneille : Sertorius. La Rochefoucauld : Mémoires. Mort de Pascal (19 août). Fondation de la manufacture des Gobelins.	Michel Le Tellier, Colbert et Hugues de Lionne deviennent ministres de Louis XIV.
1663	Querelle de l'École des femmes. La Critique de « l'École des femmes ».	Corneille : Sophonisbe. Racine : ode Sur la convalescence du Roi.	Invasion de l'Autriche par les Turcs.
1664	Le Mariage forcé. Interdiction du premier Tartuffe.	Racine : la Thébaïde ou les Frères ennemis.	Condamnation de Fouquet, après un procès de quatre ans.
1665	Dom Juan. L'Amour médecin.	La Fontaine : Contes et Nouvelles. Mort du peintre N. Poussin.	Peste de Londres.
1666	Le Misanthrope. Le Médecin malgré lui.	Boileau : Satires (I à VI). Furetière : le Roman bourgeois. Fondation de l'Académie des sciences.	Alliance franco-hollandaise contre l'Angleterre. Mort d'Anne d'Autriche. Incendie de Londres.
1667	Mélicerte. La Pastorale comique. Le Sicilien. Interdiction de la deuxième version du Tartuffe : l'Imposteur.	Corneille : Attila. Racine : Andromaque. Milton : le Paradis perdu. Naissance de Swift.	Conquête de la Flandre par les troupes françaises (guerre de Dévolution).
1668	Amphitryon. George Dandin. L'Avare.	La Fontaine : Fables (livres I à VI). Racine : les Plaideurs. Mort du peintre Mignard.	Fin de la guerre de Dévolution : traités de Saint-Germain et d'Aix-la-Chapelle. Annexion de la Flandre.
1669	Représentation du Tartuffe. Monsieur de Pourceaugnac.	Racine : Britannicus. Th. Corneille : la Mort d'Annibal. Bossuet : Oraison funèbre d'Henriette de France.	
1670	Les Amants magnifiques. Le Bourgeois gentilhomme.	Racine : Bérénice. Corneille : Tite et Bérénice. Édition des Pensées de Pascal. Mariotte découvre la loi des gaz.	Mort de Madame. Les états de Hollande nomment Guillaume d'Orange capitaine général.
1671	Psyché. Les Fourberies de Scapin. La Comtesse d'Escarbagnas.	Débuts de la correspondance de Mme de Sévigné avec Mme de Grignan.	Louis XIV prépare la guerre contre la Hollande.
1672	Les Femmes savantes. Mort de Madeleine Béjart.	Racine : Bajazet. Th. Corneille : Ariane. P. Corneille : Pulchérie.	Déclaration de guerre à la Hollande. Passage du Rhin (juin).
1673	Le Malade imaginaire. Mort de Molière (17 février).	Racine : Mithridate. Séjour de Leibniz à Paris. Premier grand opéra de Lully : Cadmus et Hermione.	Conquête de la Hollande. Prise de Maestricht (29 juin).

BIBLIOGRAPHIE SOMMAIRE

———————

SUR LE COMIQUE EN GÉNÉRAL :

R. Garapon,   *la Fantaisie verbale et le comique dans le théâtre français* (Paris, A. Colin, 1957).

SUR MOLIÈRE :

Ramon Fernandez,   *la Vie de Molière* (Paris, Gallimard, 1930).
Daniel Mornet,   *Molière, l'homme et l'œuvre* (Paris, Boivin, 1943).

René Bray,   *Molière, homme de théâtre* (Paris, Mercure de France, 1954).

Antoine Adam,   *Histoire de la littérature française au XVIIᵉ siècle,* tome III (Paris, Domat-Del Duca, 1952).

SUR « LES FOURBERIES DE SCAPIN » :

Jacques Copeau,   *les Fourberies de Scapin* (coll. « Mises en scène », Paris, Ed. du Seuil, 1951).

SUR LA LANGUE DU XVIIᵉ SIÈCLE :

Jean Dubois et   *Dictionnaire de la langue française classique*
René Lagane,   (Paris, Belin, 1960).

Vaugelas   *Remarques sur la langue française* (Paris, Larousse, « Nouveaux Classiques », 1969).

LES FOURBERIES DE SCAPIN
1671

NOTICE

CE QUI SE PASSAIT EN 1671

■ *EN POLITIQUE. Politique intérieure :* Turenne, converti au catholicisme en 1668, travaille à réunir prêtres et pasteurs pour trouver la base d'une entente. Bossuet rédige, dans le même esprit, son Exposition de la doctrine de l'Eglise catholique. Louis XIV achève à Versailles les importants remaniements commencés en 1668 sous la direction de Louis Le Vau.

Politique étrangère : Mort du ministre des Affaires étrangères, Hugues de Lionne, à qui succède Arnauld de Pomponne. Louis XIV poursuit la politique d'isolement diplomatique des Provinces-Unies.

À l'étranger : Le roi d'Angleterre Charles II, qui a promis secrète- ment, au traité de Douvres en 1670, de se réconcilier avec le pape, nomme son frère, le duc d'York — converti au catholicisme —, chef de la flotte, sans autre résultat que d'exciter la haine de ses sujets.

■ *EN LITTÉRATURE.* Bossuet est élu à l'Académie française. Publi- cation du troisième recueil de Contes de La Fontaine. Molière a donné le 17 janvier Psyché, avec Quinault, Corneille et Lully.

■ *DANS LES SCIENCES ET LES ARTS :* Cassini, astronome italien, s'installe à l'Observatoire (presque achevé par Claude Perrault), dont il est le premier directeur. Fondation de l'Académie d'architecture.

CIRCONSTANCES ET DATE DE LA REPRÉSENTATION

Les *Fourberies de Scapin* furent représentées au Palais-Royal le dimanche 24 mai 1671. Il faut remonter à 1668 pour trouver des œuvres destinées directement à la ville : *l'Avare* et, quelques mois auparavant, *Amphitryon*, comédies imitées toutes deux de Plaute, comme *les Fourberies de Scapin* le sont de Térence. Après *l'Avare*, *Monsieur de Pourceaugnac* (1669), *les Amants magnifiques* (février 1670), le *Bourgeois gentilhomme* (octobre 1670), *Psyché* (1671) sont écrits directement pour la Cour : ces quatre pièces sont des œuvres à grand spectacle, dans lesquelles la part de la musique et de la danse est sinon prépondérante, du moins très importante; elles sont propres à satisfaire les goûts de luxe et de faste d'une Cour qui s'ennuie. Or, Molière après avoir représenté *Psyché* au théâtre des

Tuileries le 17 janvier 1671, avec une mise en scène, des décors et des ballets dont la prodigieuse richesse assura le succès de la pièce, semble craindre, pour cette œuvre féerique tirée des *Métamorphoses* d'Apulée, l'accueil du théâtre du Palais-Royal, où elle devait être représentée pour la première fois le 24 juillet. Il décida donc d'offrir au peuple parisien une œuvre pleine de vie et de gaieté, susceptible de le bien disposer à écouter avec faveur la tragédie-ballet écrite en vers dans un style très soutenu, où la collaboration de Corneille et de Quinault se fait sentir. Ainsi *les Fourberies de Scapin*, comédie en trois actes, voient le jour entre deux pièces à machines et à grand spectacle.

Robinet, dans sa *Lettre en vers à Monsieur* du 30 mai, salua sa naissance en des vers dont la platitude n'enlève pas l'intérêt historique :

> A Paris [...]
> On ne parle que d'un Scapin,
> Qui surpasse défunt l'Espiègle
> (Sur qui tout bon enfant se règle)
> Par ses ruses et petits tours,
> Qui ne sont pas de tous les jours [...].

Toutefois, l'enthousiasme de Robinet semble excessif. En effet, contrairement à l'attente de Molière, le succès des *Fourberies de Scapin* fut modeste et largement éclipsé par l'accueil chaleureux fait à *Psyché*. L'affinement des mœurs, les progrès de l'esprit romanesque et surtout le goût du grand spectacle, qui s'épanouira dans l'opéra, triomphent de la gaieté populaire et de la farce. On ne peut noter que dix-huit représentations des *Fourberies de Scapin*, jusqu'à la première de *Psyché*, et, après cette date, la pièce ne fut plus reprise du vivant de Molière. Il faudra attendre la mort de l'auteur pour qu'elle soit représentée à la Cour (trois fois seulement durant le règne de Louis XIV) et pour qu'elle connaisse une certaine faveur à la ville (197 représentations de 1673 à 1715). Néanmoins, on ne cessera jamais de la jouer, et de grands acteurs aimeront paraître dans le rôle de Scapin, l'enrichissant d'interprétations personnelles : Dugazon au XVIIIe siècle, Monrose et Coquelin au XIXe, Louis Jouvet à partir de 1917, Jean-Louis Barrault en 1949. A la Comédie-Française, *les Fourberies de Scapin* ont été représentées 1252 fois de 1680 à 1967, soit à peu près autant que *les Précieuses ridicules*.

La première édition date de 1671 : le privilège est daté du 31 décembre 1670, l'achevé d'imprimer est du 18 août 1671.

Un petit problème se pose à propos du costume des acteurs. En effet, le *Mercure de France* de 1736 rapporte que les comédiens Dangeville et Dubreuil jouèrent les rôles des deux pères Géronte et Argante sous le masque. Il ajoute : « C'est la seule pièce restée au théâtre où l'usage du masque se soit conservé. » D'autre part, une chronique de 1752 nous informe que « l'usage ancien des masques s'est encore conservé dans cette pièce ». Nous ne savons rien de sûr à ce sujet. Mais Jacques Copeau rejette les arguments de vraisemblance qui sembleraient combattre la thèse du masque. « On la révoque, nous dit-il, sur cette conviction bizarre que les usages anciens de la scène témoignaient d'une naïveté presque barbare, et que nos procédés modernes l'emportent sur leurs devanciers comme d'incontestables progrès de la technique. Rien n'est moins certain. C'est peut-être le contraire qui est vrai [...] L'acteur sous le masque dépasse en puissance celui qui se présente à visage découvert. » Il est donc possible que ce souvenir de la comédie latine et italienne se soit perpétué dans *les Fourberies de Scapin* jusqu'au XVIIIe siècle, au moins pour les personnages des pères.

Quant à l'habillement de Scapin, il est inspiré, en France, à la fois du costume traditionnel du Scappino italien (habits amples, chapeau à plumes), et de celui des Turlupin et Jodelet. Il quitte le masque porté par Scappino et prend les vêtements rayés vert et blanc, qui deviendront ses couleurs traditionnelles.

ANALYSE DE LA PIÈCE

(Les scènes principales sont indiquées entre parenthèses.)

■ *ACTE PREMIER.* **Le mariage secret.**

Le jeune Octave, pendant l'absence de son père Argante, a épousé une jeune fille pauvre et de naissance inconnue, Hyacinte. Le retour de son père l'inquiète d'autant plus qu'Argante veut lui faire épouser la fille que son ami Géronte avait eue à Tarente d'un second mariage et dont l'arrivée est annoncée. Le valet du jeune homme, Sylvestre, qui a favorisé le mariage secret, est encore plus inquiet que son maître, et Scapin arrive fort à propos pour réconforter tout le monde. Le jeune Léandre, fils de Géronte, s'est lui aussi imprudemment engagé dans une entreprise amoureuse, et Octave raconte comment en accompagnant son ami chez Zerbinette, l'Egyptienne qu'il aime, il a lui-même rencontré sa future femme **(scène II).** Scapin promet à Octave et à Hyacinte de les aider, mais la crainte du jeune homme est telle que l'arrivée de son père le fait fuir à toutes jambes.

Scapin, seul devant Argante **(scène IV),** lui fait croire qu'Octave ne s'est marié que sous la contrainte, mais il ne peut le dissuader de son projet de rompre le mariage, et l'acte s'achève sur cette menace, pendant que Sylvestre presse Scapin de trouver de l'argent pour aider le jeune ménage.

■ *ACTE II.* **L'avarice des pères et la fourberie de Scapin.**

Géronte, au courant du mariage d'Octave, accuse Argante d'avoir mal élevé son fils. Aussi, Argante, mis au courant par Scapin de la mauvaise conduite de Léandre, retourne-t-il la flèche à Géronte sans donner d'ailleurs de précisions, n'en ayant pas lui-même. Léandre, accusé par son père, se défend mal et veut châtier Scapin de sa trahison. Mais il apprend alors que les Egyptiens veulent emmener Zerbinette, à moins qu'il ne consente à donner aussitôt les 500 écus qu'ils lui ont déjà demandés. Léandre, devenu aussi humble et pitoyable qu'il était fier et menaçant, supplie Scapin de lui venir en aide, et le valet accepte, après s'être fait bien prier. Il faudra deux longues scènes pour qu'Argante accepte de donner les 200 pistoles que Scapin a promises à Octave **(scènes V et VI)**. Sylvestre, déguisé en spadassin, se fait passer pour le frère d'Hyacinte, et, terrorisant Argante, il lui fait croire qu'il n'acceptera la rupture du mariage qu'en échange de la somme demandée. Une seule scène (la fameuse scène de la galère, **scène VII**) suffit, en revanche, à Scapin pour arracher à Géronte les 500 écus promis à Léandre. Mais il reste au fourbe à tirer de Géronte une vengeance personnelle pour l'avoir desservi auprès de son jeune maître.

■ *ACTE III.* **La vengeance de Scapin et le dénouement imprévu.**

Sous prétexte de le cacher aux regards des spadassins, qui le cherchent, Scapin enferme Géronte dans un sac et le roue de coups, mais le tour durant trop longtemps, Géronte met la tête hors du sac et découvre la fourberie **(scène II)**. Scapin s'enfuit, pendant que Zerbinette achève <u>innocemment</u> de révéler à Géronte à quel point il a été dupé. Tout irait très mal pour Scapin si l'on ne découvrait soudain qu'Hyacinte, la jeune inconnue épousée par Octave, est en réalité la fille de Géronte, que la sagesse des deux pères lui destinait, et qu'enfin Zerbinette est une fille d'Argante, enlevée dès l'enfance par des Egyptiens. Tout finit dans la joie, et Scapin, par une dernière feinte, joue les mourants pour mieux se faire pardonner de tous, et surtout de Géronte.

LES SOURCES DES « FOURBERIES DE SCAPIN »

De la comédie de Térence à la farce de Tabarin, Molière a puisé à de nombreuses sources pour écrire sa comédie. Il a pratiqué le procédé de la « contamination », qui fut celui de Térence et qui consiste à mêler plusieurs pièces en une, sans toutefois — nous le verrons plus loin — que sa profonde originalité puisse être contestée.

A l'Antiquité, il a emprunté quelques répliques de Plaute : la fin de la scène VI de l'acte II s'inspire des *Bacchides*. Mais c'est surtout à la pièce du poète comique latin Térence, le *Phormion* (161 av. J.-C.), qu'il doit beaucoup (voir la Documentation thématique). Le sujet de cette comédie nous montre la parenté des deux intrigues : deux frères, Démiphon et Chrémès, sont partis en voyage. Pendant leur absence, le fils de Démiphon, Antiphon, a épousé une jeune orpheline pauvre, Phanium, grâce à l'aide du parasite Phormion, qui a imaginé de le faire passer pour le plus proche parent de Phanium. La loi athénienne obligeant le plus proche parent de toute orpheline à l'épouser,

diversité
+
unité

c'est tout à fait légalement que les deux jeunes gens se sont unis. De son côté, le fils de Chrémès, Phédria, cherche de l'argent pour racheter une jeune esclave dont il est amoureux. Une fois les pères de retour, Phormion tente de faire accepter à Démiphon le mariage d'Antiphon et de soutirer à Chrémès l'argent dont a besoin son fils. Tout se termine d'autant mieux que l'on découvre la véritable identité de Phanium, fille naturelle de Chrémès. Il est facile de noter les différences entre les deux intrigues : ainsi, le stratagème utilisé par Phormion pour faire épouser Phanium par Antiphon, étant fondé sur un détail historique peu connu au XVIIe siècle, ne pouvait être repris. De même, le parasite, personnage typique de la société romaine, ainsi que les esclaves cèdent la place à des valets. Il n'en reste pas moins que le canevas est à peu près le même : des parents qui s'opposent à des mariages, des serviteurs fourbes aidant les jeunes gens. Un détail est même conservé au mépris de la vraisemblance : la somme d'argent nécessaire à l'un des jeunes gens pour racheter sa maîtresse était toute naturelle dans le contexte antique, mais elle se conçoit moins bien dans la pièce moderne.

Ainsi, bien que l'impression d'ensemble produite par la farce de Molière soit toute différente de celle qu'a produite la noble comédie en vers de Térence, dont, selon Boileau, il a « fait grimacer [les] figures », les deux intrigues sont très proches l'une de l'autre.

Les « farces tabarinesques » ont peut-être fourni par ailleurs à Molière des procédés comiques dont il a tiré parti dans *les Fourberies*. Boileau lui reprochait déjà d'avoir « à Térence allié Tabarin » (*Art poétique*, III, vers 398), et, de fait, la scène où Scapin persuade Géronte d'entrer dans un sac figurait parmi les jeux de scène utilisés par cet acteur de tréteaux du début du XVIIe siècle français. Mais on a fait remarquer que la même plaisanterie se trouve ailleurs que chez Tabarin : dans *les Facétieuses Nuits* de Straparole, traduites au XVIe siècle par Jean Louveau et Pierre de Larivey. Un galant, caché dans un sac de blé, est rossé par le mari de la femme à qui il venait de faire la cour. Molière lui-même avait joué en 1661 un *Gorgibus dans le sac,* et l'on peut imaginer que les farces jouées à l'Hôtel de Bourgogne par les Turlupin, Guillot-Gorju ou Gros-Guillaume, se souciaient fort peu de l'origine d'un procédé comique qui se révélait efficace. Tout ce que l'on peut dire, c'est donc que Molière, comme tous les acteurs de son époque, s'est approprié des plaisanteries tombées depuis longtemps dans le domaine public sans qu'on puisse en préciser l'auteur.

L'influence italienne est plus remarquable : c'est à la pièce de Beltramo, *L'Inavertito*, publiée en 1629, que l'on doit en effet le personnage du valet frondeur, déjà nommé Scappino par l'auteur italien. Molière en avait fait Mascarille, dans l'*Étourdi*, il lui conserve son nom italien dans *les Fourberies*. Tout ce qu'il peut y avoir de conventionnel dans le personnage du valet fourbe est repris dans Mascarille, mais toute la richesse de notre Scapin est due au génie de Molière. D'autres personnages empruntent leur nom à la comédie italienne : Zerbinette, Nérine (on trouvait déjà un personnage de ce nom dans *Monsieur de Pourceaugnac*).

Louis Moland (*Molière et la comédie italienne*, Paris, 1867, p. 347) veut trouver l'origine de la scène de la galère dans un canevas de Flaminio Scala, dit « Flavio », *Il Capitano*, imprimé en 1611. Mais l'influence est douteuse. En fait l'obligation de rivaliser avec la comédie italienne poussait Molière à rechercher des scènes rapides et gaies, susceptibles de faire rire un public avide de fantaisie.

D'autres influences ont été notées : celle de Rotrou, à qui Molière a emprunté le dialogue d'exposition par lequel s'ouvre *la Sœur* (1645) pour la rédaction du dialogue de Sylvestre et d'Octave (acte premier, scène première). Mais la plus nette est celle du *Pédant joué*, de Cyrano de Bergerac, dont la scène IV de l'acte II contient le fameux mot : « Qu'allait-il faire dans cette galère ? » (voir Documents, page 119), et dont la scène III de l'acte III a pu inspirer à Molière l'idée des confidences faites par Zerbinette à Géronte. C'est à propos de la scène de la galère que Molière aurait eu cette parole sur laquelle on a beaucoup glosé : « Il m'est permis de reprendre mon bien où je le trouve. » Plutôt que de croire à un emprunt antérieur de Cyrano de Bergerac à Molière, il vaut mieux y voir l'orgueilleuse fierté du génie comique, qui se considère comme le maître absolu de son domaine. Mais il est probable que le mot est apocryphe.

Ces quelques remarques nous montrent la grandeur de Molière : c'est la qualité du génie de son auteur qui assure la survie des *Fourberies de Scapin*, bien plus que la diversité des sources n'en accuse l'absence d'unité. Molière, en vrai classique, a su montrer son originalité jusque dans l'imitation.

LES CARACTÈRES DES PERSONNAGES

JEUNES GENS ET JEUNES FILLES. Les comédies de Molière présentent toujours le même paradoxe : elles donnent raison à la jeunesse contre l'âge mûr, mais la peinture des jeunes ne fait généralement ressortir que leur médiocrité, voire leur sottise.

Octave, fils d'Argante, a pour excuse son extrême jeunesse : Hyacinte est son premier amour. et il l'a épousée sur un coup de tête. Mais lorsque reparaît son père, il tremble et se plaint à Sylvestre comme un enfant. Il n'a même pas le courage d'affronter son père et s'enfuit au lieu de lui « répondre fermement », comme Scapin le lui conseillait. Il se montre toutefois plus impulsif que timoré dans la scène X de l'acte III, mais sa réaction est surtout destinée à permettre une scène plaisante : dès qu'on lui a révélé qu'Hyacinte est bien celle qu'on lui destinait pour épouse, il se tait, et Molière cesse de s'y intéresser. Impulsif et timoré à la fois, Octave attire la sympathie par son extrême jeunesse et par la générosité des mouvements de son cœur.

Léandre est beaucoup moins sympathique. Il est paralysé et balbutiant devant son père Géronte (acte II, scène II), mais sa colère éclate violemment contre Scapin (acte II, scène III), et il le frapperait de son épée si Octave n'intervenait pas. Au contraire, lorsqu'à la scène suivante il a besoin de Scapin, toute sa morgue tombe, et il se fait aussi humble qu'il a été fier et violent. Nul n'est moins sympathique que les dangereux personnages capables, comme lui, de passer, selon leurs besoins du moment, de la fierté dédaigneuse aux bassesses les plus plates. La qualité d'âme de Léandre se précise encore lorsqu'il consent d'avance à la vengeance que Scapin veut tirer de son père : aucune inquiétude ne l'effleure, seule compte pour lui la réussite égoïste de son amour.

Quant aux jeunes filles, elles présentent encore moins d'intérêt : **Hyacinte** pleurniche sans conviction à la scène III de l'acte premier, et la scène où elle est réunie à **Zerbinette** (acte III, scène première) est une des plus plates de la pièce : ce n'est qu'un échange de jérémiades et de lieux communs, encore que Zerbinette semble faire preuve d'un esprit plus vif que sa compagne. Elle prouve toutefois qu'elle n'a guère de cervelle en allant raconter au premier venu (acte III, scène III) l'aventure de Géronte.

LES PÈRES. Ils ont une personnalité beaucoup plus riche et, en tout cas, plus nettement accusée.

Géronte, père de Léandre et d'Hyacinte, est un moralisateur naïf, content de l'éducation qu'il a donnée à son fils. Mais les soupçons qu'Argante fait naître dans son esprit (acte II, scène I) font ressortir son caractère méfiant : il se livre à un véritable interrogatoire policier, habile et sévère, à la scène II de l'acte II. Toutefois, les traits de caractère que la fin de la pièce vont surtout mettre en relief sont sa ladrerie (trait commun à bien des pères chez Molière) et surtout une crédulité qui le rend facile à duper : seule cette crédulité permet de rendre un peu vraisemblables la scène de la galère (acte II, scène VII) et celle du sac (acte III, scène II). Scapin lui-même nous a d'ailleurs prévenus : « Vous savez que pour l'esprit, il n'en a pas grâces à Dieu grande provision, et je le livre pour une espèce d'homme à qui l'on fera toujours croire tout ce que l'on voudra » (acte II, scène IV).

Argante est un personnage à la fois plus sympathique et plus nuancé. Certes, on retrouve chez lui les traits traditionnels du père coléreux (acte premier, scène IV) et avare (acte II, scène V) : les scènes où se manifestent ces traits de caractère sont essentiellement des scènes de farce. Mais Argante nous apparaît aussi comme capable de finesse et d'ironie (acte II, scène première), et son chagrin, à la scène V de l'acte II, nous laisse entrevoir un amour paternel profond et respectable. Enfin, sa colère, aux scènes V et VI de l'acte III, n'a rien de comique et nous fait deviner qu'il n'est pas homme à se laisser duper sans exiger la punition des coupables.

LES SERVITEURS.

Sylvestre ne manque pas d'intérêt. Dévoué à son maître, il a essayé de le détourner de ce qu'il considérait comme une folie. Mais une fois le mal fait, il a servi Octave avec dévouement dans ses entreprises. Le retour d'Argante lui fait craindre légitimement une punition, et il est tout heureux des stratagèmes de Scapin, pourvu qu'il ne risque pas d'en pâtir. Incapable d'imaginer lui-même les fourberies, il y prête la main avec un plaisir évident. Dévoué, mais canaille à l'occasion, timoré mais hardi lorsqu'il est sûr de l'impunité, respectueux et obéissant, Sylvestre est un type intéressant et assez riche de valet de comédie.

Mais le personnage central de la pièce est évidemment **Scapin**. Dès le début, nous pouvons préciser quelques traits de son caractère : fanfaron, sûr de lui, hardi et sans scrupule, il traite de haut la timidité de son camarade Sylvestre. En fait, dans les premières scènes, il ne semble guère éloquent (acte premier, scène IV) et se laisse assez facilement déconcerter. Lâche devant le danger (acte II, scène III), il prend plaisir à humilier ceux qui ont besoin de lui (acte II, scène IV). On retrouve chez lui la morgue et ~~haughti-~~ l'assurance de Léandre, mais on est plus disposé à les excuser chez ~~ness~~ le serviteur que chez le maître. A partir de la scène V de l'acte II, les traits de Scapin se précisent encore : son esprit pratique et son génie de l'intrigue se donnent libre cours lorsqu'il a réfléchi aux fourberies qu'il met en œuvre. A l'acte III, il prend même les proportions d'un personnage de grand style. Pris à son propre jeu, il joue des tours pour le plaisir de courir un danger, et il légitime sa malice par une philosophie du risque qu'on a pu comparer à celle de Dom Juan : « Je me plais à entreprendre des entreprises hasardeuses [...], et je hais ces cœurs pusillanimes qui, pour trop prévoir les suites des choses, n'osent rien entreprendre » (acte III, scène I). Sa souplesse et son art de redresser les situations les plus hasardeuses assurent à la pièce ce qui en fait l'unité : le mouvement et la vie.

L'ACTION, LA MORALE ET LE COMIQUE DANS « LES FOURBERIES DE SCAPIN »

L'ACTION. « Si le théâtre est avant tout action, c'est du théâtre pur », disait René Bray des *Fourberies*. En effet, du début à la fin, le mouvement ne se ralentit pour ainsi dire jamais. Le retour d'Argante et de Géronte oblige les jeunes gens et les valets à des feintes incessantes, et la nécessité qui les presse de se procurer de l'argent au plus vite est une nouvelle source d'intrigues. D'une scène à l'autre, la tension ne décroît jamais : Scapin résiste à Argante (acte premier, scène IV), Argante tient tête à Géronte (acte II, scène première), Géronte attaque Léandre (acte II, scène II), Léandre s'en prend à Scapin, qui lui retourne son procédé (acte II, scènes III et IV) ; Scapin presse tant et si bien Argante puis Géronte qu'il leur arrache leur argent (acte II, scènes V à VII). Seule la première scène de l'acte III vient rompre le mouvement, avant les épisodes mouvementés de l'acte III : la scène du sac et les scènes de reconnaissance. Nous sommes emportés du début à la fin de la pièce par le déroulement rapide de l'intrigue romanesque et par la vie des scènes de farce, et le mouvement de l'ensemble contribue à la force comique de la pièce.

LA MORALE. Un tel élan laisse-t-il au spectateur le temps d'apprécier la morale de la pièce? Molière lui-même, malgré la doctrine classique, s'en souciait-il beaucoup? Et pourtant, la morale traditionnelle semble bien bafouée dans cette comédie. Les pères sont tournés en ridicule, l'imprévoyance des fils est protégée par les canailles efficaces que sont les valets. Ce n'est certes pas parce que les reconnaissances finales réconcilient pères et fils, morale et droits de la nature, que l'on peut accorder quelque valeur à ce dénouement postiche hérité de la comédie latine.

En fait, ici comme bien souvent, Molière a défendu, au passage, la liberté d'une morale naturelle qui tienne compte des légitimes aspirations de la jeunesse. Comme toujours chez lui, les débordements des jeunes ont pour cause la rigueur excessive de leur éducation. Mais, au fond, l'essentiel de la pièce tient à l'impression de vie qui s'en dégage et à la force comique.

LE COMIQUE. On connaît la condamnation portée par Boileau contre *les Fourberies de Scapin* (voir les Jugements).
Ne nous attardons pas sur le problème de savoir ce que signifie le vers 399 du IIIe chant de *l'Art poétique* : « Dans ce sac ridicule où Scapin s'enveloppe. » L'expression de Boileau a fait couler beaucoup d'encre pour expliquer comment Scapin peut s'envelopper dans le sac où il a l'intention d'enfermer Géronte. L'important est dans la force de l'accusation contre un type de comique jugé inadmissible : le critique délicat de *l'Art poétique* refuse les bastonnades de Tabarin et les jeux de la comédie italienne. Or, l'essentiel du comique de Scapin tient à la force comique des procédés de la farce. Même si le jeu de mots est révélateur d'un trait de caractère, même si le coup de bâton ne fait pas oublier l'homme qui le reçoit, il est hors de doute qu'il faut laisser un peu de côté sa délicatesse pour apprécier Scapin. « Ne mésestimons pas Molière, écrit Jacques Copeau, de se sentir et de se montrer « ami du peuple » [...], qui lui demande de se simplifier pour être compris [...], de grossir même un peu le trait et de gagner en énergie ce qu'il perd en délicatesse. »

P E R S O N N A G E S[1]

ARGANTE   père d'Octave et de Zerbinette.

GÉRONTE   père de Léandre et de Hyacinte.

OCTAVE   fils d'Argante et amant de Hyacinte.

LÉANDRE   fils de Géronte et amant de Zerbinette.

ZERBINETTE   une Égyptienne et reconnue fille d'Argante et amante de Léandre.

HYACINTE   fille de Géronte et amante d'Octave.

SCAPIN[2]   valet de Léandre et fourbe.

SYLVESTRE   valet d'Octave.

NÉRINE   nourrice de Hyacinte.

CARLE   fourbe[3].

LA SCÈNE EST À NAPLES

---

1. La liste des acteurs nous est connue par la *Lettre en vers à Monsieur*, de Robinet (30 mai 1671) : Molière jouait *Scapin* ; La Grange, *Léandre* ; La Thorillière, *Sylvestre* ; Du Croisy, *Géronte* ; Hubert, *Argante* ; Baron, *Octave*. Le rôle d'*Hyacinte* était tenu par Mlle de Brie et celui de *Zerbinette* par Mlle Beauval ; 2. *Scapin* : c'est le Scappino italien. Voir la Notice, p. 13 ; 3. « Un ami de Scapin » (édition de 1734).

LES FOURBERIES DE SCAPIN

ACTE PREMIER

Scène première. — OCTAVE, SYLVESTRE.

OCTAVE

Ah! fâcheuses nouvelles pour un cœur amoureux! Dures extrémités où je me vois réduit (1)! Tu viens, Sylvestre, d'apprendre au port que mon père revient?

SYLVESTRE

Oui.

OCTAVE

5 Qu'il arrive ce matin même?

SYLVESTRE

Ce matin même.

OCTAVE

Et qu'il revient dans la résolution de me marier?

SYLVESTRE

Oui.

OCTAVE

Avec une fille du seigneur Géronte?

SYLVESTRE

10 Du seigneur Géronte.

OCTAVE

Et que cette fille est mandée[1] de Tarente ici pour cela? (2)

SYLVESTRE

Oui.

---

1. *Mander*. Deux sens sont possibles : *mander quelqu'un*, lui donner avis ou ordre de venir (c'est le sens ici); *mander quelque chose*, envoyer dire, faire savoir quelque chose par lettre ou par message (c'est le sens quelques répliques plus loin, ligne 15).

─────── **QUESTIONS** ───────

1. Qu'est-ce que ces exclamations nous font deviner du caractère d'Octave, de son âge, de son état d'esprit au début de la pièce?

2. Quel semble être l'état d'esprit des deux personnages? Comment le dialogue le reflète-t-il? Pouvez-vous imaginer des jeux de scène qui soulignent cette impression? — Analysez le rythme de la dernière phrase (ligne 11) : que traduit-il? — Où se passe l'action? Pourquoi?

OCTAVE

Et tu tiens ces nouvelles de mon oncle?

SYLVESTRE

De votre oncle.

OCTAVE

15 A qui mon père les a mandées par une lettre?

SYLVESTRE

Par une lettre.

OCTAVE

Et cet oncle, dis-tu, sait toutes nos affaires?

SYLVESTRE

Toutes nos affaires.

OCTAVE

Ah! parle, si tu veux, et ne te fais point de la sorte arracher
20 les mots de la bouche. (3)

SYLVESTRE

Qu'ai-je à parler davantage? Vous n'oubliez aucune circonstance, et vous dites les choses tout justement[1] comme
elles sont[2].

OCTAVE

Conseille-moi, du moins, et me dis[3] ce que je dois faire dans
25 ces cruelles conjonctures. *Situation - les étoiles*

SYLVESTRE

Ma foi, je m'y trouve autant embarrassé que vous, et j'aurais
bon besoin[4] que l'on me conseillât moi-même.

OCTAVE

Je suis assassiné[5] par ce maudit retour.

---

1. *Tout justement* : précisément; 2. Le procédé d'exposition si heureusement utilisé
par Molière dans ce début de scène est imité du dialogue par lequel s'ouvre *la Sœur*,
de Rotrou, en 1645. Molière l'avait déjà employé dans *Mélicerte* en 1666 (acte II,
scène première) ; 3. *Me dis* : aux XVIIe et XVIIIe siècles, lorsque deux impératifs sont
coordonnés, le pronom personnel complément du second se place avant le verbe;
4. *Bon* : bien; 5. *Assassiner* : fréquemment employé au XVIIe siècle dans le sens méta-
phorique de « causer un grand préjudice, importuner beaucoup » (style noble).

==== QUESTIONS ====

3. Sur quel procédé comique repose tout ce début? Est-ce la première fois qu'Octave pose toutes ces questions à Sylvestre? Montrez
que cette forme de dialogue souligne l'embarras de Sylvestre. — Le
naturel de l'exclamation impatientée d'Octave (lignes 19-20) et son
opportunité.

SYLVESTRE

Je ne le suis pas moins.

OCTAVE

30 Lorsque mon père apprendra les choses, je vais voir fondre sur moi un orage soudain d'impétueuses réprimandes.

SYLVESTRE

Les réprimandes ne sont rien, et plût au Ciel que j'en fusse quitte à ce prix! Mais, j'ai bien la mine, pour moi, de payer plus cher[1] vos folies, et je vois se former de loin un nuage de 35 coups de bâton[2] qui <u>crèvera</u> sur mes épaules. (4)

OCTAVE

Ô Ciel! par où sortir de l'embarras où je me trouve?

SYLVESTRE

C'est à quoi vous deviez songer avant que de vous y jeter.

OCTAVE

Ah! tu me fais mourir par tes leçons hors de saison.

SYLVESTRE

Vous me faites bien plus mourir par vos actions étourdies. (5)

OCTAVE

40 Que dois-je faire? Quelle résolution prendre? A quel remède recourir? (6) (7)

1. J'ai bien l'apparence de quelqu'un qui paiera plus cher; 2. Métaphore plaisante annoncée par la réplique précédente d'Octave, reprise plus loin à la fin de l'acte III, scène II. On la trouve aussi dans *le Médecin volant* et dans *Amphitryon* (vers 342).

———— QUESTIONS ————

4. Le comique : montrez que la symétrie n'est plus dans les paroles, mais dans la pensée des personnages. Ces lamentations nous font-elles entrevoir des éléments précis? — Que pouvons-nous penser du caractère d'Argante d'après les craintes des deux personnages? — Comment Octave et Sylvestre sont-ils enfermés chacun dans ses propres préoccupations à propos d'une situation qui leur est commune?

5. Sur quel ton se parlent le jeune maître et son valet? N'est-ce pas là un trait fréquent chez Molière? La familiarité qui lie Sylvestre à Octave est-elle toutefois du même ordre que celle de Dorine en face d'Orgon ou de Nicole en face de Monsieur Jourdain?

6. Analysez le comique des incertitudes d'Octave : comique de caractère, de situation; comique parodique. Rapprochez ces exclamations de celles des héros tragiques.

7. Sur l'ensemble de la scène première, voir page 24.

Scène II. — SCAPIN, OCTAVE, SYLVESTRE.

SCAPIN

Qu'est-ce, seigneur Octave? qu'avez-vous? qu'y a-t-il? quel désordre est-ce là (8)? Je vous vois tout troublé.

OCTAVE

Ah! mon pauvre Scapin, je suis perdu, je suis désespéré, je suis le plus infortuné de tous les hommes!

SCAPIN

5   Comment?

OCTAVE

N'as-tu rien appris de ce qui me regarde?

SCAPIN

Non.

OCTAVE

Mon père arrive avec le seigneur Géronte, et ils me veulent marier.

SCAPIN

10   Eh bien! qu'y a-t-il là de si funeste?

OCTAVE

Hélas! tu ne sais pas la cause de mon inquiétude.

SCAPIN

Non; mais il ne tiendra qu'à vous que je la sache bientôt; et je suis homme consolatif[1], homme à m'intéresser aux affaires des jeunes gens. (9)

---

1. *Consolatif* : apte à consoler. Mot d'usage fréquent alors, mais appliqué à de noms de choses.

————— ● QUESTIONS ● —————

7. SUR L'ENSEMBLE DE LA SCÈNE PREMIÈRE. — Appréciez le procédé d'exposition employé au début de la scène : valeur comique, intérêt psychologique.

— Sommes-nous renseignés sur l'action? Quel secret ne nous est pas encore révélé?

— Les caractères : apparaissent-ils fortement dessinés? Quels traits dominants s'y accusent cependant? Montrez que la présence de deux êtres faibles en face d'un problème délicat crée une sorte de vide qui prépare l'entrée en scène de Scapin.

8. Quel est le ton des premiers mots de Scapin?

9. Quel aspect important du rôle de Scapin se laisse entrevoir ici?

POLICHINELLE ET PANTALON

dans la commedia dell'arte, Pantalon est le type traditionnel du
vieillard dupé et l'ancêtre direct de Géronte.

Gravure de Bonnart (XVIIe siècle).   Phot. Larousse.

SCARAMOUCHE ENTRANT EN SCÈNE

Scaramouche fut un des comédiens italiens les plus célèbres en France au
début du règne de Louis XIV, et Molière tira sans doute parti de son exemple.

OCTAVE

15 Ah! Scapin, si tu pouvais trouver quelque invention, forger
quelque machine[1], pour me tirer de la peine où je suis, je croirais t'être redevable de plus que de la vie.

SCAPIN

A vous dire la vérité, il y a peu de choses qui me soient
impossibles, quand je m'en veux mêler. J'ai sans doute reçu
20 du Ciel un génie assez beau pour toutes les fabriques[2] de ces
gentillesses[3] d'esprit, de ces galanteries[4] ingénieuses, à qui le
vulgaire ignorant donne le nom de fourberies; et je puis dire
sans vanité qu'on n'a guère vu d'homme qui fût plus habile
ouvrier[5] de ressorts et d'intrigues[6], qui ait acquis plus de gloire
25 que moi dans ce noble métier. Mais, ma foi, le mérite est trop
maltraité aujourd'hui, et j'ai renoncé à toutes choses depuis
certain chagrin[7] d'une affaire qui m'arriva. (10)

OCTAVE

Comment? Quelle affaire, Scapin?

SCAPIN

Une aventure où je me brouillai avec la justice.

OCTAVE

30 La justice!

SCAPIN

Oui, nous eûmes un petit démêlé ensemble.

SYLVESTRE

Toi et la justice?

---

1. *Machine* : ruse, machination; 2. *Fabrique* : fabrication, invention (emploi familier au sens figuré); 3. *Gentillesse* : tour d'adresse; 4. *Galanteries* : « Se dit parfois
ironiquement des actions d'une fourberie adroite » (Dict. de Furetière, 1690);
5. *Ouvrier* : « Artiste, maître » (*Dict. Acad.*, 1694); l'expression *ouvriers de ressorts
et d'intrigues* est peut-être calquée sur celle de la Bible : « ouvriers d'iniquité »; 6. *Res-
sort* : machination; 7. *Chagrin* : grave ennui.

QUESTIONS

10. Caractérisez le ton de Scapin; sous quel angle envisage-t-il ses
fourberies? Quel vous paraît être le trait dominant de son caractère?
— Sa vantardise : montrez que c'est un aspect traditionnel du valet
hérité de la comédie antique. Son ironie atténue-t-elle ou accentue-t-elle
sa vantardise? — Faut-il prendre au sérieux ses déboires et son intention de renoncer à toute activité?

SCAPIN

Oui. Elle en usa fort mal avec moi, et je me dépitai de telle
sorte contre l'ingratitude du siècle, que je résolus de ne plus
35 rien faire. Baste![1] Ne laissez pas de me conter votre aventure. **(11)**

OCTAVE

Tu sais, Scapin, qu'il y a deux mois que le seigneur Géronte
et mon père s'embarquèrent ensemble pour un voyage qui
regarde certain commerce **(12)** où leurs intérêts sont mêlés.

SCAPIN

Je sais cela.

OCTAVE

Et que Léandre et moi nous fûmes laissés par nos pères,
moi sous la conduite de Sylvestre, et Léandre sous ta direction.

SCAPIN

Oui[2]. Je me suis fort bien acquitté de ma charge.

OCTAVE

Quelque temps après, Léandre fit rencontre d'une jeune
Égyptienne[3] dont il devint amoureux.

SCAPIN

45 Je sais cela encore.

OCTAVE

Comme nous sommes grands amis, il me fit aussitôt confi-
dence de son amour et me mena voir cette fille, que je trouvai
belle à la vérité, mais non pas tant qu'il voulait que je la trouvasse. Il ne m'entretenait que d'elle chaque jour, m'exagérait à
50 tous moments sa beauté et sa grâce, me louait son esprit et me
parlait avec transport des charmes de son entretien, dont il

1. *Baste* : vient de l'italien *basta*, « il suffit » ; 2. Molière a emprunté à Térence
(*Phormion*, acte premier, scène II) l'histoire, antérieure à l'action, des deux pères et
des deux couples ; 3. *Égyptienne* : Molière nomme déjà ainsi dans *le Mariage forcé*
tous les bohémiens vagabonds et diseurs de bonne aventure ; c'est la dénomination
courante à l'époque.

──── **QUESTIONS** ────

11. Les démêlés de Scapin avec la justice sont-ils vraisemblables?
Sur quel ton y fait-il allusion? En tire-t-il honte ou fierté? A quoi se
voit la complaisance émerveillée de son auditoire? — Quel effet produit ici l'expression *l'ingratitude du siècle*?

12. Cette imprécision révèle-t-elle un grand souci de vraisemblance
dans la présentation des éléments romanesques de l'action? Est-ce négli-
gence de la part de l'auteur? Quelle impression s'en trouve renforcée?

me rapportait jusqu'aux moindres paroles, qu'il s'efforçait
toujours de me faire trouver les plus spirituelles du monde.
Il me querellait quelquefois de n'être pas assez sensible aux
55 choses qu'il me venait de dire, et me blâmait sans cesse de
l'indifférence où j'étais pour les feux[1] de l'amour.

SCAPIN

Je ne vois pas encore où ceci veut aller.

OCTAVE

Un jour que je l'accompagnais pour aller chez des gens qui
gardent l'objet[2] de ses vœux, nous entendîmes dans une petite
60 maison d'une rue écartée quelques plaintes mêlées de beaucoup de sanglots. Nous demandons ce que c'est. Une femme
nous dit en soupirant que nous pouvions voir là quelque chose
de pitoyable en des personnes étrangères, et qu'à moins d'être
insensibles, nous en serions touchés.

SCAPIN

65 Où est-ce que cela nous mène? (13)

OCTAVE

La curiosité me fit presser Léandre de voir ce que c'était.
Nous entrons dans une salle, où nous voyons une vieille femme
mourante, assistée d'une servante qui faisait des regrets[3], et
d'une jeune fille toute fondante[4] en larmes, la plus belle et la
70 plus touchante qu'on puisse jamais voir.

SCAPIN

Ah! ah!

OCTAVE

Une autre aurait paru effroyable en l'état où elle était, car
elle n'avait pour habillement qu'une méchante petite jupe,

---

1. *Les feux de l'amour* : expression courante du langage précieux pour désigner
la passion amoureuse; 2. *L'objet de ses vœux* : la personne aimée; 3. *Faire des regrets* :
être touché de compassion sans toutefois aller jusqu'aux larmes; expression plus
forte que l'expression actuelle : « exprimer des regrets »; 4. Le participe présent
s'accorde parfois encore, au XVIIe siècle, en genre et en nombre.

--- QUESTIONS ---

13. Le récit d'Octave nous met-il immédiatement au fait de ce qui
concerne le jeune homme? Quelle est l'utilité de tout ce bavardage?
Appréciez l'attitude d'Octave en face de l'amour de Léandre; que nous
apprend-elle sur son caractère? — La progression pathétique de la seconde
réplique. L'attitude de Scapin est-elle justifiée? En quoi est-elle conforme
à la supériorité qu'affiche le personnage?

avec des brassières[1] de nuit qui étaient de simple futaine[2], et
75 sa coiffure était une cornette[3] jaune, retroussée au haut de sa
tête, qui laissait tomber en désordre ses cheveux sur ses épaules;
et cependant, faite comme cela[4], elle brillait de mille attraits,
et ce n'était qu'agréments et que charmes que toute sa personne.

SCAPIN

Je sens venir les choses.

OCTAVE

80 Si tu l'avais vue, Scapin, en l'état que je dis, tu l'aurais
trouvée admirable.

SCAPIN

Oh! je n'en doute point; et, sans l'avoir vue, je vois bien
qu'elle était tout à fait charmante.

OCTAVE

Ses larmes n'étaient point de ces larmes désagréables qui
85 défigurent un visage : elle avait, à pleurer, une grâce touchante,
et sa douleur était la plus belle du monde.

SCAPIN

Je vois tout cela.

OCTAVE

Elle faisait fondre chacun en larmes en se jetant amoureuse-
ment sur le corps de cette mourante, qu'elle appelait sa chère
90 mère, et il n'y avait personne qui n'eût l'âme percée de voir
un si bon naturel. **(14)**

SCAPIN

En effet, cela est touchant, et je vois bien que ce bon naturel-
là vous la fit aimer.

OCTAVE

Ah! Scapin, un barbare l'aurait aimée.

---

1. *Brassière :* « Petite chemisette qui sert à couvrir les bras et le haut du corps »
(Dict. de Furetière); 2. *Futaine :* étoffe de fil et de coton; 3. *Cornette :* « Coiffe ou linge
que les femmes mettent sur la tête la nuit ou au déshabillé » (Dict. de Furetière);
4. Dans cette toilette.

──────── QUESTIONS ────────

14. Octave trace un tableau conforme à la sensibilité romanesque du
temps. Imaginez la scène; ne fait-elle pas déjà songer à certaines peintures du XVIIIe siècle? — Le spectateur peut-il être vraiment attendri
à cette image de malheurs réels?

SCAPIN

95   Assurément. Le moyen de s'en empêcher ! **(15)**

OCTAVE

Après quelques paroles dont je tâchai d'adoucir la douleur
de cette charmante affligée, nous sortîmes de là et, demandant
à Léandre ce qui lui semblait de cette personne, il me répondit
froidement qu'il la trouvait assez jolie. Je fus piqué de la
100 froideur avec laquelle il m'en parlait, et je ne voulus point lui
découvrir l'effet que ses beautés avaient fait sur mon âme **(16)**.

SYLVESTRE, *à Octave.*

Si vous n'abrégez ce récit, nous en voilà pour jusqu'à demain.
Laissez-le-moi finir[1] en deux mots. *(A Scapin.)* Son cœur
prend feu dès ce moment. Il ne saurait plus vivre qu'il[2] n'aille
105 consoler son aimable affligée. Ses fréquentes visites sont rejetées de la servante, devenue la gouvernante par le trépas de la
mère : voilà mon homme au désespoir. Il presse, supplie,
conjure : point d'affaire[3]. On lui dit que la fille, quoique sans
bien et sans appui, est de famille honnête[4] et qu'à moins que de
110 l'épouser, on ne peut[5] souffrir ses poursuites ; voilà son amour
augmenté par les difficultés[6]. Il consulte[7] dans sa tête, agite,
raisonne, balance, prend sa résolution : le voilà marié avec
elle depuis trois jours.

1. Même mouvement de scène que dans *la Sœur*, acte premier, scène IV, de Rotrou :
    « Si de ce long récit vous n'abrégez le cours,
    Le jour achèvera plus tôt que ce discours.
    Laissez-le moi finir avec une parole. »
2. *Que :* sans que ; 3. *Point d'affaire :* rien à faire ; 4. *Honnête :* honorable ; 5. *A moins que de l'épouser, on ne peut...* ; rupture de construction pour la langue moderne, mais tournure fréquente dans la langue du XVIIᵉ siècle, qui admet que l'infinitif n'ait pas le même sujet que le verbe à mode personnel de la proposition ; 6. Tout ce passage, retraçant la rencontre avec la jeune fille, est imité des vers 92 à 115 du *Phormion* de Térence (voir la Documentation thématique) ; 7. *Consulter :* délibérer, seul ou avec d'autres.

━━━ ◆ QUESTIONS ◆ ━━━

15. L'effet comique de cette partie du dialogue : pourquoi Scapin
fait-il semblant de ne pas comprendre tout de suite les sentiments d'Octave ? A quoi voit-on que, malgré tout, son intérêt s'éveille ? Est-ce sympathie pour Octave ou prescience des intrigues possibles ? L'ironie de
ses commentaires ; marquez qu'elle souligne le détachement supérieur
de Scapin, en même temps qu'elle traduit l'impression du spectateur.

16. La symétrie entre la réaction de Léandre devant l'amour de son
ami et l'attitude de ce dernier quelques répliques plus haut ; sa valeur
comique. Le contraste entre l'enthousiasme d'Octave ici et son esprit
critique auparavant. La valeur psychologique de ce trait de caractère
commun aux deux jeunes gens.

SCAPIN

J'entends. **(17)**

SYLVESTRE

115 Maintenant, mets avec cela le retour imprévu du père, qu'on
n'attendait que dans deux mois; la découverte que l'oncle a
faite du secret de notre mariage, et l'autre mariage qu'on veut
faire de lui[1] avec la fille que le seigneur Géronte a eue d'une
seconde femme qu'on dit qu'il a épousée à Tarente.

OCTAVE

120 Et par-dessus tout cela, mets encore l'indigence où se trouve
cette aimable personne et l'impuissance où je me vois d'avoir
de quoi la secourir.

SCAPIN

Est-ce là tout? Vous voilà bien embarrassés tous deux pour
une bagatelle! C'est bien là de quoi se tant alarmer! N'as-tu
125 point de honte, toi[2], de demeurer court à si peu de chose?
Que diable! te voilà grand et gros comme père et mère, et tu
ne saurais trouver dans ta tête, forger dans ton esprit, quelque
ruse galante[3], quelque honnête petit stratagème, pour ajuster[4]
vos affaires? Fi! Peste soit du butor! Je voudrais bien que l'on
130 m'eût donné autrefois nos vieillards à duper : je les aurais
joués tous deux par-dessous la jambe, et je n'étais pas plus
grand que cela que je me signalais déjà par cent tours d'adresse
jolis[5]. **(18)**

1. *Lui* (pronom à valeur démonstrative) : celui-ci, accompagné d'un geste pour
désigner Octave; 2. *Toi* : il s'adresse à Sylvestre; 3. *Galant* : fin, spirituel et hardi;
4. *Ajuster* : arranger; 5. *Joli* : fait avec aisance.

──────────── QUESTIONS ────────────

17. L'intervention de Sylvestre (lignes 102-113) nous permet-elle d'imaginer son jeu muet depuis le début de la scène? Comparez le style de cette tirade avec celui du récit d'Octave. Étudiez la construction des phrases, leur longueur, leur rythme. — Quel effet produit le ton sentencieux de Scapin (ligne 114)? A-t-il la même attitude à l'égard de Sylvestre qu'à l'égard d'Octave?

18. Comment se présente la situation à la fin de cette mise au courant? Comment se traduit le pessimisme d'Octave et de Sylvestre? Soulignez leur passivité confiante. Par quel jeu de scène pourrait-on traduire leur attitude? — La réponse de Scapin : relevez les éléments comiques de sa réplique et montrez leur conformité avec ce que nous savons déjà du personnage. Effet plaisant de l'expression : *te voilà grand et gros comme père et mère?*

SYLVESTRE

J'avoue que le Ciel ne m'a pas donné tes talents, et que je
135 n'ai pas l'esprit, comme toi, de me brouiller avec la justice. **(19)**

OCTAVE

Voici mon aimable Hyacinte. **(20)**

Scène III. — HYACINTE, OCTAVE, SCAPIN, SYLVESTRE

HYACINTE

Ah! Octave, est-il vrai ce que Sylvestre vient de dire à Nérine[1],
que votre père est de retour et qu'il veut vous marier?

OCTAVE

Oui, belle Hyacinte, et ces nouvelles m'ont donné une atteinte[2]
cruelle. Mais que vois-je? vous pleurez? Pourquoi ces larmes?
5 Me soupçonnez-vous, dites-moi, de quelque infidélité, et n'êtes-
vous pas assurée de l'amour que j'ai pour vous?

HYACINTE

Oui, Octave, je suis sûre que vous m'aimez, mais je ne le
suis pas que vous m'aimiez toujours.

OCTAVE

Eh! peut-on vous aimer qu'on ne vous aime toute sa vie?

---

1. Inversion : « Ce que Sylvestre vient de dire est-il vrai? » ; **2.** *Atteinte :* coup (sens figuré).

──────── **QUESTIONS** ────────

19. L'admiration de Sylvestre pour Scapin est-elle sans mélange?
Quelle est la part de la flatterie dans ce compliment? Qu'en conclure
sur le caractère de Sylvestre? Le passé de Scapin, d'après cette réplique.

20. SUR L'ENSEMBLE DE LA SCÈNE II. — Montrez que nous avons ici
une véritable exposition, dont vous résumerez les éléments. Dans quel
genre de comédie sommes-nous engagés? L'intrigue en est-elle très ori-
ginale? Dans quelle mesure Molière s'est-il inspiré de Térence (voir la
Documentation thématique)?

— Les caractères sont-ils déjà bien tracés? Les personnages apparaissent-ils très nuancés? Soulignez combien Scapin tranche sur les
autres.

— Le comique de cette scène : appréciez-en la nature, la finesse relative.

HYACINTE

10 J'ai ouï dire, Octave, que votre sexe aime moins longtemps
que le nôtre, et que les ardeurs que les hommes font voir sont
des feux qui s'éteignent aussi facilement qu'ils naissent. **(21)**

OCTAVE

Ah! ma chère Hyacinte, mon cœur n'est donc pas fait comme
celui des hommes, et je sens bien, pour moi, que je vous aimerai
15 jusqu'au tombeau.

HYACINTE

Je veux croire que vous sentez ce que vous dites, et je ne doute
point que vos paroles ne soient sincères; mais je crains un
pouvoir qui combattra dans votre cœur les tendres sentiments
que vous pouvez avoir pour moi. Vous dépendez d'un père
20 qui veut vous marier à une autre personne, et je suis sûre que
je mourrai si ce malheur m'arrive. **(22)**

OCTAVE

Non, belle Hyacinte, il n'y a point de père qui puisse me
contraindre à vous manquer de foi, et je me résoudrai à quitter
mon pays, et le jour[1] même, s'il est besoin, plutôt qu'à vous
25 quitter. J'ai déjà pris, sans l'avoir vue, une aversion effroyable
pour celle que l'on me destine, et, sans être cruel, je souhaite-
rais que la mer l'écartât d'ici pour jamais. Ne pleurez donc
point, je vous prie, mon aimable Hyacinte, car vos larmes
tuent, et je ne les puis voir sans me sentir percer le cœur.

HYACINTE

30 Puisque vous le voulez, je veux bien essuyer mes larmes, et
j'attendrai d'un œil constant[2], ce qu'il plaira au Ciel de résoudre
de moi.

---

1. *Le jour* : la vie; 2. On emploie d'ordinaire l'expression « d'un cœur constant ».
Ici, la formule est plaisante après l'évocation des larmes d'Hyacinte.

──────── QUESTIONS ────────

21. Montrez comment, dans tout ce dialogue, le vocabulaire traditionnel de la galanterie est rafraîchi par la jeunesse touchante des personnages. Ce changement de registre est-il fréquent à l'intérieur d'une
même comédie chez Molière? Comparez, par exemple, avec les scènes de
l'Avare où paraissent Élise et Cléante. — Les appréhensions de Hyacinte
sur l'inconstance des hommes sont-elles habituelles aux jeunes amou-
reuses de Molière?

22. On a dit de Hyacinte qu'elle faisait ici « très petite fille ». Quels
traits de son caractère, ici, justifient cette opinion? Étudiez la naïveté
de son vocabulaire. — En quoi rappelle-t-elle un peu l'Agnès de *l'Ecole
des femmes?*

OCTAVE

Le Ciel nous sera favorable.

HYACINTE

Il ne saurait m'être contraire, si vous m'êtes fidèle.

OCTAVE

35 Je le serai assurément.

HYACINTE

Je serai donc heureuse.

SCAPIN, *à part*

Elle n'est pas tant sotte, ma foi, et je la trouve assez passable[1]. **(23)**

OCTAVE, *montrant Scapin*.

Voici un homme[2] qui pourrait bien, s'il le voulait, nous
40 être dans tous nos besoins d'un secours merveilleux.

SCAPIN

J'ai fait de grands serments de ne me mêler plus du monde **(24)**,
mais, si vous m'en priez bien fort tous deux, peut-être...

OCTAVE

Ah! s'il ne tient qu'à te prier bien fort pour obtenir ton aide,
je te conjure de tout mon cœur de prendre la conduite de notre
45 barque.

SCAPIN, *à Hyacinte*.

Et vous, ne me dites-vous rien?

HYACINTE

Je vous conjure, à son exemple, par tout ce qui vous est le
plus cher au monde, de vouloir servir notre amour.

---

1. *Passable* s'emploie fréquemment aux xviie et xviiie siècles pour porter un jugement de valeur sur des personnes; **2.** Scapin, jusqu'alors à l'écart, s'approche d'Octave.

QUESTIONS

23. Comment imaginez-vous l'attitude de Scapin jusqu'ici? Quel trait de son caractère se marque dans cette réplique?

24. Scapin n'est-il pas déjà décidé à intervenir? La vue de Hyacinte est-elle pour quelque chose dans sa décision? — Et pourquoi, dans ces conditions, se fait-il encore prier?

sa vanité

SCAPIN[1]

Il faut se laisser vaincre et avoir de l'humanité. Allez, je veux
50 m'employer pour vous.

OCTAVE

Crois que... **(25)**

SCAPIN, *à Octave.*

Chut! *(A Hyacinte.)* Allez-vous-en, vous, et soyez en repos.
(A Octave.) Et vous, préparez-vous à soutenir avec fermeté
l'abord de votre père[2].

OCTAVE

55 Je t'avoue que cet abord me fait trembler par avance, et j'ai
une timidité naturelle que je ne saurais vaincre.

SCAPIN

Il faut pourtant paraître ferme au premier choc, de peur
que, sur votre faiblesse, il ne prenne le pied de vous mener[3]
comme un enfant. Là, tâchez de vous composer par étude[4].
60 Un peu de hardiesse, et songez à répondre résolument sur tout
ce qu'il pourra vous dire.

OCTAVE

Je ferai du mieux que je pourrai.

SCAPIN

Là, essayons un peu pour vous accoutumer. Répétons un
peu votre rôle, et voyons si vous ferez bien. Allons. La mine
65 résolue, la tête haute, les regards assurés.

OCTAVE

Comme cela?

SCAPIN

Encore un peu davantage.

---

1. Scapin semble se parler à lui-même ou s'adresser à Sylvestre par sa première
phrase. Il s'adresse au couple dans la seconde; **2.** Jeux de scène empruntés à Térence :
Phormion, vers 209-215; **3.** Il ne prenne appui sur votre faiblesse pour vous mener;
4. *Se composer par étude* : s'appliquer à se donner une attitude (rapprochez de l'expression « se composer un personnage »).

─────── **QUESTIONS** ───────

25. Quelle satisfaction d'amour-propre Scapin obtient-il ici? — Sur
quels tons prononce-t-il successivement les deux phrases de sa dernière
réplique (lignes 49-50)? — Qu'allait dire Octave? Pourquoi Scapin l'inter-
rompt-il? — En quoi ce moment est-il important dans le déroulement
de l'action?

OCTAVE

Ainsi?

SCAPIN

Bon **(26)**! Imaginez-vous que je suis votre père qui arrive,
70 et répondez-moi fermement, comme si c'était à lui-même.
« Comment! pendard, vaurien, infâme, fils indigne d'un père
comme moi[1], oses-tu bien paraître devant mes yeux après tes
bons déportements[2], après le lâche tour que tu m'as joué pendant mon absence? Est-ce là le fruit de mes soins, maraud,
75 est-ce là le fruit de mes soins? le respect qui m'est dû? le respect
que tu me conserves? » Allons donc! « Tu as l'insolence, fripon, de t'engager sans le consentement de ton père, de contracter
un mariage clandestin? Réponds-moi, coquin! réponds-moi!
Voyons un peu tes belles raisons! » Oh! que diable! vous demeu-
80 rez interdit?

OCTAVE

C'est que je m'imagine que c'est mon père que j'entends.

SCAPIN

Eh! oui! C'est par cette raison qu'il ne faut pas être comme
un innocent. **(27)**

---

1. Souvenir du *Menteur* de Corneille (acte V, scène III), scène où Géronte accable
son fils Dorante de reproches en présence du valet Cliton. Mais Géronte est un « père
noble », dont Molière s'était déjà inspiré dans *Dom Juan* pour créer le personnage
de Dom Louis (acte IV, scène IV). Ici, le rôle tenu par Scapin prend une valeur parodique; 2. *Déportements* : « Conduite et manière de vivre [...]. On le dit en bonne et
en mauvaise part » (Dict. de Furetière, 1690); *Bons* a ici une valeur ironique.

――――― QUESTIONS ―――――

26. Par quoi commence Scapin dans sa leçon? Qu'y a-t-il là de révélateur sur la mentalité et le jeu même de Scapin? N'a-t-il pas raison,
dans le cas présent, de donner plus d'importance à l'attitude qu'au langage? — Octave paraît-il très sûr de lui? Sa docilité est-elle seulement
preuve de discipline et de confiance?

27. Comment se manifeste l'aisance de Scapin dans le rôle du père?
Cette preuve de virtuosité n'est-elle pas utile pour fonder la vraisemblance
d'une autre scène (acte III. scène II)? Montrez que Scapin est un acteur-
né. — Pourquoi répète-t-il ses derniers mots à la fin de chaque
réplique lorsqu'il joue le rôle du père? Est-il à court d'imagination? Sur
quel ton dit-il *Allons donc!* à Octave (ligne 76)? Ne manifeste-t-il pas
un certain découragement devant l'inertie du jeune homme? A-t-il beaucoup d'illusions sur les talents d'Octave et sur son courage? — La
parodie du « père noble »; d'après les références citées en note, appréciez-
en la valeur comique.

OCTAVE

Je m'en vais prendre plus de résolution, et je répondrai
85 fermement.

SCAPIN

Assurément?

OCTAVE

Assurément.

SYLVESTRE

Voilà votre père qui revient.

OCTAVE, *s'enfuyant.*

Ô Ciel! je suis perdu!

SCAPIN

90 Holà! Octave, demeurez, Octave! Le voilà enfui! Quelle
pauvre espèce d'homme! Ne laissons pas[1] d'attendre le vieillard.

SYLVESTRE

Que lui dirai-je? (28)

SCAPIN

Laisse-moi dire, moi, et ne fais que me suivre. (29)

---

1. *Ne pas laisser de :* ne pas s'abstenir de.

━━━━━ QUESTIONS ━━━━━━━━━━━━━━━━━━━━━━━━━━━

28. Quel est l'effet de contraste entre l'attitude d'Octave (ligne 89) et
ses deux répliques antérieures? Sa fuite était-elle totalement imprévisible?
Montrez que le comportement de Sylvestre est un écho affaibli de celui
de son maître. — Quelles réflexions successives traversent l'esprit de Scapin
dans sa dernière réplique (lignes 90-92)? Soulignez la dureté de son
jugement sur Octave. Ce verdict est-il faux? Est-ce seulement par amitié
pour Octave que Scapin décide d'agir malgré tout?

29. SUR L'ENSEMBLE DE LA SCÈNE III. — Ne pourrait-on distinguer deux
scènes à l'intérieur de la scène III? Donnez un titre à chacune d'elles.

— Est-il difficile pour un acteur d'imaginer les jeux de scène? Livrez-
vous à ce travail pour chaque personnage.

— Le personnage de Scapin : comment se complète-t-il? La part de
la générosité et celle de l'attrait du jeu. Ses sentiments à l'égard d'Octave.
Ces deux personnages nous sont-ils également sympathiques?

— Définissez le comique de la scène : de mots, de gestes, de caractère.

Scène IV. — ARGANTE, SCAPIN, SYLVESTRE

ARGANTE, *se croyant seul.*

A-t-on jamais ouï parler d'une action pareille à celle-là?

SCAPIN

Il a déjà appris l'affaire, et elle lui tient si fort en tête que tout seul il en parle haut.

ARGANTE, *se croyant seul.*

Voilà une témérité bien grande!

SCAPIN

5 Écoutons-le un peu. (30)

ARGANTE, *se croyant seul.*

Je voudrais savoir ce qu'ils me pourront dire sur ce beau mariage.

SCAPIN, *à part.*

Nous y avons songé[1].

ARGANTE, *se croyant seul.*

Tâcheront-ils de me nier la chose?

SCAPIN

10 Non, nous n'y pensons pas.

ARGANTE, *se croyant seul.*

Ou s'ils entreprendront de l'excuser?

SCAPIN

Celui-là[2] se pourra faire.

ARGANTE, *se croyant seul.*

Prétendront-ils m'amuser par des contes en l'air?

---

1. Tout ce début de scène est imité de Térence : *Phormion*, acte II, scène première (voir la Documentation thématique); 2. *Celui-là :* cela.

--- QUESTIONS ---

30. Est-il vraisemblable, en cette occasion, qu'Argante parle seul? N'est-ce pas une situation courante dans une certaine catégorie de comédie? Comparez tout le début de cette scène au passage du *Phormion* de Térence, cité en note et reproduit dans la Documentation thématique.
— Comment Argante a-t-il pu apprendre le mariage d'Octave (voir à la scène II la fin du récit de Sylvestre, lignes 115-119)?

SCAPIN

Peut-être.

ARGANTE, *se croyant seul.*

15 Tous leurs discours seront inutiles.

SCAPIN

Nous allons voir.

ARGANTE, *se croyant seul.*

Ils ne m'en donneront point à garder[1].

SCAPIN

Ne jurons de rien.

ARGANTE, *se croyant seul.*

Je saurai mettre mon pendard de fils en lieu de sûreté[2].

SCAPIN

20 Nous y pourvoirons.

ARGANTE, *se croyant seul.*

Et pour le coquin de Sylvestre, je le rouerai de coups.

SYLVESTRE, *à Scapin.*   to thrash

J'étais bien étonné[3], s'il m'oubliait. (31)

ARGANTE, *apercevant Sylvestre.*

Ah! ah! vous voilà donc, sage gouverneur de famille, beau directeur de jeunes gens!

SCAPIN

25 Monsieur, je suis ravi de vous voir de retour.

ARGANTE

Bonjour, Scapin. *(A Sylvestre.)* Vous avez suivi mes ordres vraiment d'une belle manière, et mon fils s'est comporté fort sagement pendant mon absence!

---

1. *En donner à garder à quelqu'un* : « En faire accroire à quelqu'un, le tromper » (*Dict. Acad.*, 1694); 2. *Lieu de sûreté* : lieu où l'on n'a rien à craindre, mais aussi d'où l'on ne peut s'échapper, prison. Un enfant pouvait être mis en prison sur l'ordre de son père, pour simple désobéissance; 3. *Je serais bien étonné* (imparfait à sens conditionnel).

─────── QUESTIONS ───────

31. Analysez le comique de ce début de scène et montrez-en la complexité par une étude détaillée : situation, mots, caractère, gestes. Est-ce uniquement pour le plaisir de rire que Scapin voulait *écouter un peu* Argante? Qu'apprend-il par ce moyen? — Rapprochez les deux dernières répliques du vieillard (lignes 19 et 21) et les craintes exprimées par Octave et Sylvestre à la fin de la scène première. — Argante est-il conforme au portrait que Scapin avait tracé de lui à la scène précédente?

SCAPIN

Vous vous portez bien, à ce que je vois?

ARGANTE

Assez bien. (A Sylvestre.) Tu ne dis mot, coquin, tu ne dis mot!

SCAPIN

Votre voyage a-t-il été bon?

ARGANTE

Mon Dieu, fort bon. Laisse-moi un peu quereller en repos! (32)

SCAPIN

Vous voulez quereller?

ARGANTE

Oui, je veux quereller.

SCAPIN

Et qui, Monsieur?

ARGANTE, montrant Sylvestre.

Ce maraud-là.

SCAPIN

Pourquoi?

ARGANTE

Tu n'as pas ouï parler de ce qui s'est passé dans mon absence?

SCAPIN

J'ai bien ouï parler de quelque petite chose.

ARGANTE

Comment, quelque petite chose! Une action de cette nature?

SCAPIN

Vous avez quelque raison...

ARGANTE

Une hardiesse pareille à celle-là?

─────── QUESTIONS ───────

32. Le jeu de scène précédent pouvait-il se prolonger longtemps? Montrez qu'il cesse au moment où Argante n'a plus grand-chose à nous apprendre. — Que signifie l'ironie avec laquelle il accueille Sylvestre? Est-ce de bon augure pour ce dernier? Le silence de Sylvestre : ses causes. — La politesse de Scapin n'est-elle pas intéressée? Quel est le but du fourbe? — Analysez les sentiments d'Argante dans sa dernière réplique, destinée entièrement à Scapin, et dégagez-en le comique d'expression.

SCAPIN

Cela est vrai. (33)

ARGANTE

45 Un fils qui se marie sans le consentement de son père?

SCAPIN

Oui, il y a quelque chose à dire à cela. Mais je serais d'avis que vous ne <u>fissiez</u> point de bruit.

ARGANTE

Je ne suis pas de cet avis et je veux faire du bruit, tout mon soûl[1]. Quoi! tu ne trouves pas que j'aie tous les sujets du monde 50 d'être en colère?

SCAPIN

Si fait! j'y[2] ai d'abord été, moi, lorsque j'ai su la chose, et je me suis intéressé pour vous[3] jusqu'à quereller votre fils. Demandez-lui un peu quelles belles réprimandes je lui ai faites, et comme je l'ai chapitré sur le peu de respect qu'il gardait 55 à un père dont il devait[4] baiser les pas. On ne peut pas lui mieux parler, quand ce serait vous-même. Mais quoi! je me suis rendu à la raison et j'ai considéré que, dans le fond, il n'a pas tant de tort qu'on pourrait croire.

ARGANTE

Que me viens-tu conter? Il n'a pas tant de tort de s'aller 60 marier de but en blanc avec une inconnue? (34)

---

1. *Tout mon soûl :* autant que je veux (familier); 2. *Y :* en colère; 3. *S'intéresser pour quelqu'un :* entrer dans ses intérêts; 4. *Devait :* aurait dû (imparfait au sens du conditionnel passé).

QUESTIONS

33. Le comique de ce passage : si les deux personnages y participent, qui le suscite seul? Quels procédés Scapin utilise-t-il successivement avec Argante? Tout d'abord, montrez que sa manœuvre a réussi et que Sylvestre est hors de cause. Sa naïveté feinte a-t-elle pour seul dessein de détourner la colère du vieillard? L'habileté des concessions qu'il fait : soulignez-la et montrez-en la nécessité. Quelle complicité réussit-il à créer entre Argante et lui-même?

34. Que pensez-vous des leçons de morale dont Scapin s'attribue le mérite? N'est-il pas comique de le voir parler en bon père de famille? — Quelle satisfaction Argante peut-il éprouver en voyant que Scapin a remplacé Sylvestre défaillant?

SCAPIN

Que voulez-vous? Il a été poussé par sa destinée.

ARGANTE

Ah! ah! voici une raison la plus belle du monde! On n'a
plus qu'à commettre tous les crimes imaginables, tromper,
voler, assassiner, et dire pour excuse qu'on y a été poussé par
65 sa destinée. *il le compare aux niveau d'autres crimes*

SCAPIN

Mon Dieu, vous prenez mes paroles trop en philosophe[1]. Je
veux dire qu'il s'est trouvé fatalement engagé dans cette
affaire. **(35)**

ARGANTE

Et pourquoi s'y engageait-il?

SCAPIN

70 Voulez-vous qu'il soit aussi sage que vous? Les jeunes gens
sont jeunes, et n'ont pas toute la prudence qu'il leur faudrait
pour ne rien faire que de raisonnable : témoin notre Léandre,
qui, malgré toutes mes leçons, malgré toutes mes remontrances,
est allé faire, de son côté, pis encore que votre fils. *worse* Je voudrais
75 bien savoir si vous-même n'avez pas été jeune et n'avez pas
dans votre temps, fait des fredaines comme les autres. *escapades, sprees*

ARGANTE

Cela est vrai, j'en demeure d'accord; mais je m'en suis toujours tenu à la galanterie[2] et je n'ai point été jusqu'à faire ce
qu'il a fait.

SCAPIN

80 Que vouliez-vous qu'il fît? Il voit une jeune personne qui
lui veut du bien (car il tient cela de vous, d'être aimé de toutes
les femmes). Il la trouve charmante. Il lui rend des visites, lui
conte des douceurs, soupire galamment, fait le passionné. Elle
se rend à sa poursuite. Il pousse sa fortune. Le voilà surpris

---

1. *Philosophe* : ici, au sens péjoratif de « faiseur de théories, amateur de grandes
phrases creuses »; 2. *Galanterie* : propos flatteurs que l'on tient aux femmes, art de
les courtiser. Mot pris en bonne part.

———— **QUESTIONS** ————

35. Cet argument de Scapin vous semble-t-il très habile? Quel effet
produit sur Argante cet apparent fatalisme? Comment Scapin remédie-t-il
à la fausse manœuvre qu'il vient de commettre?

85 avec elle par ses parents, qui, la force[1] à la main, le contraignent
de l'épouser[2]. **(36)**

SYLVESTRE, *à part*.

L'habile fourbe que voilà!

SCAPIN

Eussiez-vous voulu qu'il se fût laissé tuer? Il vaut mieux
encore être marié qu'être mort.

ARGANTE

90 On ne m'a pas dit que l'affaire se soit ainsi passée. **(37)**

SCAPIN, *montrant Sylvestre*.

Demandez-lui plutôt. Il ne vous dira pas le contraire.

ARGANTE, *à Sylvestre*.

C'est par force qu'il a été marié?

SYLVESTRE

Oui, Monsieur.

SCAPIN

Voudrais-je vous mentir? **(38)**

ARGANTE

95 Il devait donc aller tout aussitôt protester de violence[3] chez
un notaire.

---

1. *La force* : une arme. 2. C'est un mensonge du même genre qu'invente Dorante
dans *le Menteur* de Corneille (acte II, scène v); voir aussi *Phormion* (vers 80-136).
Cette situation de l'amant surpris chez sa belle et contraint au mariage par les
parents de celle-ci est traditionnelle; 3. *Protester de violence* : intenter une action
judiciaire, sous prétexte qu'on a été victime d'une contrainte (terme juridique).

———— QUESTIONS ————

36. Analysez l'argumentation de Scapin. Quel est l'intérêt des consi-
dérations générales par lesquelles il débute? En quoi sont-elles rassu-
rantes pour le vieillard? Pourquoi Scapin croit-il nécessaire de citer
l'exemple de Léandre? Cette indiscrétion n'aura-t-elle pas des consé-
quences graves? Pourquoi fait-il allusion à la jeunesse d'Argante? —
— Montrez que ce dernier, flatté, commence à s'apaiser. L'histoire
imaginée par Scapin : croyez-vous qu'il vienne de l'improviser à l'instant ou qu'il la tenait prête depuis le début de la scène? — Montrez-en
la vraisemblance, garantie par son manque d'originalité. En quoi est-elle
romanesque?

37. Les commentaires après coup. Montrez comment chacun réagit :
Sylvestre, admiratif et soulagé; Scapin, triomphant; Argante. dérouté.

38. Montrez que les deux répliques de Scapin (lignes 91 et 94) sont à
double sens. Le comique n'est-il que pour les spectateurs, ou bien peut-
on penser que Scapin s'amuse aussi? Cette détente n'est-elle pas à la fois
vraisemblable et conforme à ce que nous savons du personnage? — Sur
quel ton peut-on imaginer que Sylvestre prononce sa seule réplique à
Argante?

SCAPIN

C'est ce qu'il n'a pas voulu faire.

ARGANTE

Cela m'aurait donné plus de facilité à rompre ce mariage.

SCAPIN

Rompre ce mariage?

ARGANTE

Oui.

SCAPIN

Vous ne le romprez point.

ARGANTE

Je ne le romprai point?

SCAPIN

Non.

ARGANTE

Quoi! je n'aurai pas pour moi les droits de père et la raison[1]
de la violence qu'on a faite à mon fils?

SCAPIN

C'est une chose dont il ne demeurera pas d'accord. **(39)**

ARGANTE

Il n'en demeurera pas d'accord?

SCAPIN

Non.

ARGANTE

Mon fils?

SCAPIN

Votre fils. Voulez-vous qu'il confesse qu'il ait été capable de
crainte, et que ce soit par force qu'on lui ait fait faire les choses?
Il n'a garde d'aller avouer cela. Ce serait se faire tort, et se
montrer indigne d'un père comme vous.

---

1. *Raison* : réparation d'une offense (comparez : « demander raison »).

———— QUESTIONS ————

39. Comment Argante s'est-il rapidement ressaisi? Est-il un adversaire aussi facile qu'on aurait pu le croire tout d'abord? Comment se
traduit la surprise de Scapin? Son désarroi ne se marque-t-il pas dans
son style? Comparez le rythme de ses phrases ici et lorsqu'il racontait
l'aventure d'Octave.

ARGANTE

Je me moque de cela.

SCAPIN

115   Il faut, pour son honneur et pour le vôtre, qu'il dise dans le monde que c'est de bon gré qu'il l'a épousée.

ARGANTE

Et je veux, moi, pour mon honneur et pour le sien, qu'il dise le contraire. **(40)**

SCAPIN

Non, je suis sûr qu'il ne le fera pas[1].

ARGANTE

120   Je l'y forcerai bien.

SCAPIN

Il ne le fera pas, vous dis-je.

ARGANTE

Il le fera, ou je le déshériterai.

SCAPIN

Vous?

ARGANTE

Moi.

SCAPIN

125   Bon!

ARGANTE

Comment, bon!

SCAPIN

Vous ne le déshériterez point.

ARGANTE

Je ne le déshériterai point?

---

1. La suite de la scène est supprimée dans l'édition posthume de 1692, probablement parce qu'elle est reproduite à la scène v de l'acte premier du *Malade imaginaire* presque mot pour mot : c'est le moment où Toinette prend parti pour Angélique contre Argan. Mais il est évident que *les Fourberies de Scapin*, éditées par Molière lui-même, ont été jouées dans le texte présenté ici.

━━━━━ QUESTIONS ━━━━━

40. Montrez que Scapin reprend ici un procédé qui semblait avoir réussi auparavant, en faisant appel à la flatterie. — Soulignez la symétrie voulue des deux dernières répliques (lignes 115-118) : est-ce par simple entêtement ou parce qu'il a une conception de l'honneur bien définie qu'Argante contredit Scapin?

SCAPIN

Non.

ARGANTE

130 Non?

SCAPIN

Non.

ARGANTE

Ouais! voici qui est plaisant. Je ne déshériterai point mon fils?

SCAPIN

Non, vous dis-je.

ARGANTE

Qui m'en empêchera?

SCAPIN

135 Vous-même.

ARGANTE

Moi?

SCAPIN

Oui. Vous n'aurez pas ce cœur-là.

ARGANTE

Je l'aurai.

SCAPIN

Vous vous moquez!

ARGANTE

140 Je ne me moque point.

SCAPIN

La tendresse paternelle fera son office.

ARGANTE

Elle ne fera rien.

SCAPIN

Oui, oui.

ARGANTE

Je vous dis que cela sera.

SCAPIN

145 Bagatelles!

ARGANTE

Il ne faut point dire : Bagatelles.

SCAPIN

Mon Dieu, je vous connais, vous êtes bon naturellement.

ARGANTE

Je ne suis point bon, et je suis méchant, quand je veux.
Finissons ce discours qui m'échauffe la bile[1] **(41).** *(En s'adressant*
150 *à Sylvestre.)* Va-t'en, pendard, va-t'en me chercher mon fripon, tandis que j'irai rejoindre le seigneur Géronte pour lui
conter ma disgrâce.

SCAPIN

Monsieur, si je vous puis être utile en quelque chose, vous
n'avez qu'à me commander.

ARGANTE

155 Je vous remercie. *(A part.)* Ah! pourquoi faut-il qu'il soit
fils unique! Et que n'ai-je à cette heure la fille que le Ciel m'a
ôtée, pour la faire mon héritière! **(42) (43)**

---

1. *Echauffer la bile* : mettre en colère. La bile était, dans la physiologie de l'époque,
une des quatre humeurs, avec le sang, le flegme et la mélancolie.

———— **QUESTIONS** ————

41. Comparez tout ce dialogue avec *le Malade imaginaire* (acte premier, scène v); comment peut s'expliquer et se justifier la reprise textuelle
de tout ce fragment de scène? Quelles nuances apporte la différence de
situation et de caractère? Doit-on en déduire que Molière avait un
répertoire comique limité, ou bien qu'il savait reprendre, dans un autre
contexte, un procédé éprouvé? — Faites également une comparaison avec
le Tartuffe (acte II, scène II).

42. Relevez deux indications importantes pour l'action que nous
donne Argante en cette fin de scène. Soulignez le naturel avec lequel
elles s'insèrent dans l'action du moment.

43. SUR L'ENSEMBLE DE LA SCÈNE IV. — Recherchez les trois grands
mouvements de la scène qui obéissent tous les trois au schéma suivant :
surprise de Scapin, qui cherche et finit par trouver un moyen de contre-
dire les menaces de plus en plus graves.

— Scapin vous semble-t-il très éloquent? Arrive-t-il à ses fins?

— Le personnage d'Argante : ce qu'il a de raisonnable, ce qu'il a de
ridicule. Quel trait commun a-t-il avec Monsieur Jourdain *(le Bourgeois
gentilhomme)* et avec Argan *(le Malade imaginaire)*? Qu'en conclure
sur le sentiment du spectateur à son égard?

— Relevez les différents aspects du comique dans cette scène.

— Quel parti Molière a-t-il tiré ici de la scène du *Phormion* entre
Démiphon, Phédria et Géta (voir la Documentation thématique)?

Scène V. — SCAPIN, SYLVESTRE

SYLVESTRE

J'avoue que tu es un grand homme, et voilà l'affaire en bon train, mais l'argent[1], d'autre part, nous presse pour notre subsistance, et nous avons de tous côtés des gens qui aboient après nous.

SCAPIN

5 Laisse-moi faire, la machine est trouvée. Je cherche seulement dans ma tête un homme qui nous soit affidé[2], pour jouer un personnage dont j'ai besoin. Attends. Tiens-toi un peu. Enfonce ton bonnet en méchant garçon. Campe-toi sur un pied. Mets ta main au côté. Fais les yeux furibonds. Marche
10 un peu en roi de théâtre[3]. Voilà qui est bien. Suis-moi. J'ai les secrets pour déguiser ton visage et ta voix.

SYLVESTRE

Je te conjure de ne m'aller point brouiller avec la justice.

SCAPIN

Va, va, nous partagerons les périls en frères; et trois ans de galères de plus ou de moins ne sont pas pour arrêter un
15 noble cœur. (44) (45)

---

1. *L'argent* : le besoin d'argent; 2. En qui nous puissions avoir confiance; 3. Déjà dans *l'Impromptu de Versailles* (1663), scène première, Molière s'est moqué du jeu ridicule des acteurs ventrus qui jouaient le rôle des rois, dans les tragédies représentées à l'Hôtel de Bourgogne.

———— QUESTIONS ————

44. SUR LA SCÈNE V. — Comment se traduit le dynamisme inventif de Scapin? Comment Sylvestre souligne-t-il la grandeur de son confrère, qui l'écrase de son indifférence affectée devant les dangers?
— Le comique : Scapin et son goût du théâtre; la hantise de la justice chez Sylvestre.
— Utilité dramatique de cette courte scène. Est-il adroit de la part de Molière de terminer la scène et l'acte sur un mystère? L'évocation des galères nous inquiète-t-elle ou est-elle faite pour donner le ton et la mesure de ce que Scapin prépare?

45. SUR L'ENSEMBLE DE L'ACTE PREMIER. — Faites le point de la situation. L'exposition vous semble-t-elle habilement menée?
— Relevez les éléments qui font de la pièce une comédie de mœurs et ceux qui annoncent la farce.
— Les caractères sont-ils simplement esquissés, ou approfondis? Motivez votre jugement et résumez l'impression produite par chaque personnage. Argante est-il ridicule?
— Analysez les procédés comiques employés dans cet acte.

ACTE II

Scène première. — GÉRONTE, ARGANTE

GÉRONTE

Oui, sans doute, par le temps qu'il fait, nous aurons ici nos gens[1] aujourd'hui; et un <u>matelot</u> qui vient de Tarente m'a assuré qu'il avait vu mon homme qui était près de s'embarquer. Mais l'arrivée de ma fille trouvera les choses mal disposées à
5 ce que nous nous proposions, et ce que vous venez de m'apprendre de votre fils rompt étrangement les mesures que nous avions prises ensemble.

ARGANTE

Ne vous mettez pas en peine; je vous réponds de renverser tout cet obstacle, et j'y travaille de ce pas. **(1)**

GÉRONTE

10 Ma foi, seigneur Argante, voulez-vous que je vous dise? l'<u>éducation des enfants est une chose à quoi il faut s'attacher fortement.</u>

ARGANTE

Sans doute. A quel propos cela?

GÉRONTE

A propos de ce que les mauvais déportements[2] des jeunes
15 gens viennent le plus souvent de la mauvaise éducation que leurs pères leur donnent.

ARGANTE

Cela arrive parfois. Mais que voulez-vous dire par là?

GÉRONTE

Ce que je veux dire par là?

ARGANTE

Oui.

---

1. *Nos gens :* au sens général, les gens de notre famille. Géronte songe à sa fille et à celui qui doit l'amener de Tarente; 2. *Déportements :* voir page 35, note 2.

--- **QUESTIONS** ---

1. Comment la première réplique permet-elle d'identifier Géronte et de faire le point de l'action par rapport à l'acte premier? — Quels peuvent être les sentiments de Géronte? Qualifiez son ton. Soulignez le contraste avec son interlocuteur qui se veut rassurant.

GÉRONTE

20 Que, si vous aviez, en brave père, bien morigéné[1] votre fils,
il ne vous aurait pas joué le tour qu'il vous a fait. (2)

ARGANTE

Fort bien. De sorte donc que vous avez bien morigéné le
vôtre?

GÉRONTE

Sans doute, et je serais bien fâché qu'il m'eût rien fait appro-
25 chant de cela.

ARGANTE

Et si ce fils que vous avez, en brave père, si bien morigéné,
avait fait pis encore que le mien, eh?

GÉRONTE

Comment?

ARGANTE

Comment?

GÉRONTE

30 Qu'est-ce que cela veut dire?

ARGANTE

Cela veut dire, seigneur Géronte, qu'il ne faut pas être si
prompt à condamner la conduite des autres, et que ceux qui
veulent gloser[2] doivent bien regarder chez eux s'il n'y a rien
qui cloche.

GÉRONTE

35 Je n'entends point cette énigme.

ARGANTE

On vous l'expliquera.

GÉRONTE

Est-ce que vous auriez ouï dire quelque chose de mon fils?

---

1. *Morigéner :* donner des leçons de morale, élever dans les bonnes mœurs; 2. *Gloser :* critiquer, censurer.

───── QUESTIONS ─────

2. Comment l'attaque de Géronte est-elle une suite logique de
sa contrariété? — Comment procède Géronte? Pourquoi parle-t-il
d'abord en général? Montrez la précision croissante de ses réflexions.
Pourquoi ensuite hésite-t-il? Soulignez la sévérité simpliste de la conclusion à laquelle il aboutit. — L'incompréhension d'Argante est-elle feinte?

ARGANTE

Cela se peut faire.

GÉRONTE

Et quoi encore?

ARGANTE

40   Votre Scapin, dans mon dépit[1], ne m'a dit la chose qu'en gros, et vous pourrez, de lui ou de quelque autre, être instruit du détail. Pour moi, je vais vite consulter un avocat, et aviser des biais[2] que j'ai à prendre. Jusqu'au revoir. (3) (4)

Scène II. — LÉANDRE, GÉRONTE

GÉRONTE, *seul.*

Que pourrait-ce être que cette affaire-ci? Pis encore que le sien! Pour moi, je ne vois pas ce que l'on peut faire de pis, et je trouve que se marier sans le consentement de son père est une action qui passe tout ce qu'on peut s'imaginer. Ah! vous
5 voilà!

LÉANDRE, *en courant à lui pour l'embrasser.*

Ah! mon père, que j'ai de joie de vous voir de retour!

GÉRONTE, *refusant de l'embrasser.*

Doucement. Parlons un peu d'affaire[3].

LÉANDRE

Souffrez que je vous embrasse, et que...

GÉRONTE, *le repoussant encore.*

Doucement, vous dis-je.

---

1. Dans le dépit où il me voyait; 2. *Biais :* moyens détournés pour réussir; 3. De choses sérieuses.

──── **QUESTIONS** ────

3. Le renversement de la situation : comment Argante l'exploite-t-il? Montrez que l'imprécision et le refus de s'expliquer donnent plus de poids à ce qu'il dit. Le pluriel qu'il emploie dans sa réplique la plus longue (lignes 31-34) cache-t-il vraiment l'allusion précise à Géronte? Pourquoi ne parle-t-il pas directement? En sait-il davantage?

4. SUR L'ENSEMBLE DE LA SCÈNE PREMIÈRE. — A quel moment Scapin a-t-il fait allusion à la conduite de Léandre?

— Quels sont les deux mouvements de la scène?

— Argante ne reprend-il pas l'avantage avec beaucoup d'habileté?

— Analysez le caractère de Géronte, tel qu'on peut le deviner dans ces quelques répliques.

— Le comique : montrez qu'il tient d'une part au renversement de la situation et, d'autre part, au fait que le censeur est passible, sans le savoir, de la condamnation qu'il énonce.

Phot. Lipnitzki.

« LES FOURBERIES DE SCAPIN » PAR LA COMÉDIE DE SAINT-ÉTIENNE
René Lafforgue (Sylvestre) et Jean Dasté (Scapin).

LÉANDRE

10 Quoi! Vous me refusez, mon père, de vous exprimer mon transport[1] par mes embrassements?

GÉRONTE

Oui. Nous avons quelque chose à démêler ensemble. **(5)**

LÉANDRE

Et quoi?

GÉRONTE

Tenez-vous, que je vous voie en face.

LÉANDRE

15 Comment?

GÉRONTE

Regardez-moi entre deux yeux.

LÉANDRE

Hé bien?

GÉRONTE

Qu'est-ce donc qu'il s'est passé ici?

LÉANDRE

Ce qui s'est passé?

GÉRONTE

20 Oui. Qu'avez-vous fait dans mon absence?

LÉANDRE

Que voulez-vous, mon père, que j'aie fait?

GÉRONTE

Ce n'est pas moi qui veux que vous ayez fait, mais qui demande ce que c'est que vous avez fait.

LÉANDRE

Moi? je n'ai fait aucune chose dont vous ayez lieu de vous
25 plaindre.

GÉRONTE

Aucune chose?

---

1. *Transport* : très vif sentiment d'affection.

─────── **QUESTIONS** ───────

5. Pourquoi Léandre manifeste-t-il tant de joie à voir son père de retour? Comment interprète-t-il le refus de son père, puis sa formule imprécise et menaçante? Imaginez ses réactions.

LÉANDRE

Non.

GÉRONTE

Vous êtes bien résolu.

LÉANDRE

C'est que je suis sûr de mon innocence. **(6)**

GÉRONTE

30 Scapin pourtant a dit de vos nouvelles.

LÉANDRE

Scapin!

GÉRONTE

Ah! ah! ce mot vous fait rougir.

LÉANDRE

Il vous a dit quelque chose de moi?

GÉRONTE

Ce lieu n'est pas tout à fait propre à vider cette affaire, et
35 nous allons l'examiner ailleurs[1]. Qu'on se rende au logis. J'y
vais revenir tout à l'heure. Ah! traître[2], s'il faut que tu me
déshonores, je te renonce[3] pour mon fils, et tu peux bien pour
jamais te résoudre à fuir de ma présence. **(7) (8)**

---

1. Géronte se retourne et sort; 2. Il se retourne vers son fils; 3. Je te renie.

─────── QUESTIONS ───────

6. La défense de Léandre : sur quoi se fonde-t-elle? N'est-il pas gêné
malgré tout son aplomb apparent? Montrez que les jeux de scène que lui
impose son père, non moins que son imprécision, le mettent mal à l'aise.
— Géronte est-il convaincu par les dénégations de son fils? Ne semble-t-il
pas troublé malgré tout?

7. Géronte a-t-il obtenu l'effet qu'il cherchait en faisant allusion à
Scapin? Léandre s'est-il trahi? Imaginez ses sentiments en cette fin de
scène.

8. Sur l'ensemble de la scène II. — Cette scène rapide n'est pas sans
importance dans le déroulement de l'action. Montrez-le.
— Notez l'importance des jeux de physionomie et d'attitude dans
cette scène. Ne sont-ils pas indiqués par le texte?
— Montrez comment Géronte passe du soupçon à la certitude puis
à la colère.
— La symétrie entre la situation Géronte-Léandre et la situation
Argante-Octave du premier acte : ressemblances et différences. Compa-
rez également le caractère des personnages deux par deux (Géronte et
Argante; Léandre et Octave).

Scène III. — OCTAVE, SCAPIN, LÉANDRE

LÉANDRE, *seul*.

Me trahir de cette manière! Un coquin qui doit par cent raisons être le premier à cacher les choses que je lui confie, est le premier à les aller découvrir à mon père! Ah! je jure[1] le Ciel que cette trahison ne demeurera pas impunie.

OCTAVE

5 Mon cher Scapin, que ne dois-je point à tes soins! Que tu es un homme admirable! et que le Ciel m'est favorable de t'envoyer à mon secours!

LÉANDRE

Ah! ah! vous voilà. Je suis ravi de vous trouver, Monsieur le coquin.

SCAPIN

10 Monsieur, votre serviteur. C'est trop d'honneur que vous me faites. **(9)**

LÉANDRE, *mettant l'épée à la main*.

Vous faites le méchant plaisant? Ah! je vous apprendrai...

SCAPIN, *se mettant à genoux*.

Monsieur!

OCTAVE, *se mettant entre eux pour empêcher Léandre de le frapper*.

Ah! Léandre!

LÉANDRE

15 Non, Octave, ne me retenez point, je vous prie.

SCAPIN, *à Léandre*.

Eh! Monsieur!

OCTAVE, *le retenant*.

De grâce!

LÉANDRE, *voulant frapper Scapin*.

Laissez-moi contenter mon ressentiment.

---

1. *Jurer le ciel :* prendre le ciel à témoin.

────── **QUESTIONS** ──────

9. Géronte traitait son fils de traître, Léandre accuse Scapin de l'avoir trahi. La trahison est-elle du même ordre dans les deux cas? — Quel effet produit le contraste entre l'attitude de Léandre et celle d'Octave? Laquelle de ces deux attitudes frappe le plus Scapin?

OCTAVE

Au nom de l'amitié, Léandre, ne le maltraitez point!

SCAPIN

Monsieur, que vous ai-je fait?

LÉANDRE, *voulant le frapper*.

Ce que tu m'as fait, traître?

OCTAVE, *le retenant*.

Eh! doucement! **(10)**

LÉANDRE

Non, Octave, je veux qu'il me confesse lui-même tout à l'heure[1] la perfidie qu'il m'a faite. Oui, coquin, je sais le trait[2] que tu m'as joué, on vient de me l'apprendre, et tu ne croyais pas peut-être que l'on me dût révéler ce secret; mais je veux en avoir la confession de ta propre bouche, ou je vais te passer cette épée au travers du corps.

SCAPIN

Ah! Monsieur, auriez-vous bien ce cœur-là[3]?

LÉANDRE

Parle donc.

SCAPIN

Je vous ai fait quelque chose, Monsieur?

LÉANDRE

Oui, coquin, et ta conscience ne te dit que trop ce que c'est.

SCAPIN

Je vous assure que je l'ignore. **(11)**

---

1. *Tout à l'heure :* tout de suite; 2. *Trait :* action qui marque une intention, le plus souvent nuisible, comme ici; 3. *Cœur :* courage.

───── QUESTIONS ─────

10. Où réside le comique dans ce passage? Prenons-nous au sérieux les menaces de mort que prononce Léandre? Montrez que les gestes sont ici plus importants que les paroles. — L'attitude de Scapin devant le danger : s'attendait-on à plus de courage de sa part?

11. Léandre ne semble-t-il pas retrouver un peu de calme? Scapin en est-il plus rassuré? Essayez d'analyser ses sentiments.

LÉANDRE, *s'avançant pour le frapper.*

Tu l'ignores!

OCTAVE, *le retenant.*

35 Léandre!

SCAPIN

Eh bien! Monsieur, puisque vous le voulez, je vous confesse que j'ai bu avec mes amis ce petit quartaut[1] de vin d'Espagne dont on vous fit présent il y a quelques jours, et que c'est moi qui fis une fente au tonneau, et répandis de l'eau autour pour 40 faire croire que le vin s'était échappé.

LÉANDRE

C'est toi, pendard, qui m'as bu mon vin d'Espagne, et qui as été cause que j'ai tant querellé la servante, croyant que c'était elle qui m'avait fait le tour?

SCAPIN

Oui, Monsieur, je vous en demande pardon.

LÉANDRE

45 Je suis bien aise d'apprendre cela; mais ce n'est pas l'affaire dont il est question maintenant.

SCAPIN

Ce n'est pas cela, Monsieur?

LÉANDRE

C'est une autre affaire qui me touche bien plus, et je veux que tu me la dises.

SCAPIN

50 Monsieur, je ne me souviens pas d'avoir fait autre chose. (12)

LÉANDRE, *voulant le frapper.*

Tu ne veux pas parler?

---

1. *Quartaut* : petit tonneau de capacité variable selon les régions; à Paris, la contenance d'un quartaut était d'environ 70 litres.

———— **QUESTIONS** ————

12. Analysez ce premier aveu de Scapin : faites-en le plan. Le comique : dans les attitudes, dans le mécanisme des gestes antagonistes de Léandre et d'Octave. — Les révélations imprévues de Scapin : leur valeur comique, psychologique. A quoi voit-on que Scapin, après la confession qu'on lui a arrachée, est bien décidé à ne plus rien avouer? — La réaction de Léandre : n'oublie-t-il pas, sur le coup, l'origine de sa colère?

SCAPIN

Eh[1]!

OCTAVE, *le retenant.*

Tout doux!

SCAPIN

55 Oui, Monsieur, il est vrai qu'il y a trois semaines que vous m'envoyâtes porter, le soir, une petite montre à la jeune Égyptienne que vous aimez. Je revins au logis, mes habits tout couverts de boue et le visage plein de sang, et vous dis que j'avais trouvé des voleurs qui m'avaient bien battu et m'avaient dérobé la montre. C'était moi, Monsieur, qui l'avais retenue[2].

LÉANDRE

60 C'est toi qui as retenu ma montre?

SCAPIN

Oui, Monsieur, afin de voir quelle heure il est.

LÉANDRE

Ah! ah! j'apprends ici de jolies choses, et j'ai un serviteur fort fidèle, vraiment. Mais ce n'est pas encore cela que je demande.

SCAPIN

65 Ce n'est pas cela?

LÉANDRE

Non, infâme; c'est autre chose encore que je veux que tu me confesses.

SCAPIN, *à part.*

Peste!

LÉANDRE

Parle vite, j'ai hâte.

SCAPIN

70 Monsieur, voilà tout ce que j'ai fait.

LÉANDRE, *voulant frapper Scapin.*

Voilà tout?

OCTAVE, *se mettant au-devant.*

Eh!

SCAPIN

Eh bien! oui[3] Monsieur, vous vous souvenez de ce loup-

---

1. Scapin tombe la face contre terre (mise en scène de Jacques Copeau); 2. *Retenir :* conserver; 3. Scapin se sauve, il va être rejoint, retombe à genoux en criant (Jacques Copeau).

garou[1], il y a six mois, qui vous donna tant de coups de bâton,
75 la nuit, et vous pensa[2] faire rompre le cou dans une cave où
vous tombâtes en fuyant.

LÉANDRE

Hé bien?

SCAPIN

C'était moi, Monsieur, qui faisais le loup-garou.

LÉANDRE

C'était toi, traître, qui faisais le loup-garou?

SCAPIN

80 Oui, Monsieur, seulement pour vous faire peur et vous
ôter l'envie de me faire courir toutes les nuits, comme vous
aviez coutume. (13)

LÉANDRE

Je saurai me souvenir en temps et lieu de tout ce que je viens
d'apprendre. Mais je veux venir au fait, et que tu me confesses
85 ce que tu as dit à mon père.

SCAPIN

A votre père?

LÉANDRE

Oui, fripon, à mon père.

SCAPIN

Je ne l'ai pas seulement vu depuis son retour.

LÉANDRE

Tu ne l'as pas vu?

SCAPIN

90 Non, Monsieur.

LÉANDRE

Assurément?

SCAPIN

Assurément. C'est une chose que je vais vous faire dire par
lui-même.

---

1. Vieille superstition populaire qui attribue à certains hommes le pouvoir de se
transformer en loups, la nuit, et de transformer par leur morsure ceux qu'ils ren-
contrent; 2. Faillit vous faire rompre le cou.

──────── QUESTIONS ────────

13. Y a-t-il seulement comique de répétition dans ces deux nouveaux
aveux? Que pensez-vous de la gravité respective de tous ces méfaits? — La
fausse ingénuité de Scapin.

LÉANDRE

C'est de sa bouche que je le tiens, pourtant.

SCAPIN

⁵ Avec votre permission, il n'a pas dit la vérité[1]. **(14) (15)**

Scène IV. — CARLE, SCAPIN, LÉANDRE, OCTAVE

CARLE

Monsieur, je vous apporte une nouvelle qui est fâcheuse pour votre amour.

LÉANDRE

Comment?

CARLE

Vos Égyptiens sont sur le point de vous enlever Zerbinette,
⁵ et elle-même, les larmes aux yeux, m'a chargé de venir promptement vous dire que, si dans deux heures vous ne songez à leur porter l'argent qu'ils vous ont demandé pour elle, vous l'allez perdre pour jamais.

LÉANDRE

Dans deux heures?

CARLE

¹⁰ Dans deux heures.

---

1. Toute cette confession comique de Scapin serait imitée d'un canevas utilisé par les comédiens italiens, *Pantalon, père de famille.*

─────── QUESTIONS ───────

14. Cette fois, l'étonnement de Scapin est-il feint? Et pourtant, n'est-il pas indirectement coupable? Montrez que, dans son interrogatoire, Léandre a été plutôt servi par la chance que par son habileté.

15. Sur l'ensemble de la scène iii. — Qu'y a-t-il de comique dans la triple confession de Scapin? De quel sorte de comique s'agit-il?
— Montrez que les réactions des deux personnages sont exactement comparables, avant, pendant et après chacune des trois parties de la confession.
— Scapin n'est pas un valet bien zélé. Comment expliquez-vous son comportement dans chacune des trois circonstances? Montrez que cette scène, malgré les apparences, est toute à la gloire de son ingéniosité sans scrupules. N'est-il pas quelquefois cruel aussi?
— Comparez l'attitude de Léandre avec celle qu'il avait en face de son père.
— Cette longue scène fait-elle beaucoup avancer l'action?

LÉANDRE

Ah! mon pauvre Scapin! j'implore ton secours.

SCAPIN, *passant devant lui avec un air fier.*

« Ah! mon pauvre Scapin! » je suis « mon pauvre Scapin »
à cette heure qu'on a besoin de moi.

LÉANDRE

Va, je te pardonne tout ce que tu viens de me dire, et pis
15 encore, si tu me l'as fait. **(16)**

SCAPIN

Non, non, ne me pardonnez rien. Passez-moi votre épée au
travers du corps. Je serai ravi que vous me tuiez.

LÉANDRE

Non. Je te conjure plutôt de me donner la vie en servant
mon amour.

SCAPIN

20 Point, point, vous ferez mieux de me tuer.

LÉANDRE

Tu m'es trop précieux; et je te prie de vouloir employer
pour moi ce génie[1] admirable qui vient à bout de toute chose.

SCAPIN

Non, tuez-moi, vous dis-je.

LÉANDRE

Ah! de grâce, ne songe plus à tout cela, et pense à me donner
25 le secours que je te demande.

OCTAVE

Scapin, il faut faire quelque chose pour lui.

SCAPIN

Le moyen, après une avanie[2] de la sorte?

LÉANDRE

Je te conjure d'oublier mon emportement et de me prêter
ton adresse.

---

1. *Génie* : talent naturel; 2. *Avanie* : traitement humiliant.

— **QUESTIONS** —

16. Appréciez le changement d'attitude des deux personnages. Quel
effet produit-il? Quelles lueurs jette-t-il sur leur caractère?

OCTAVE

30 Je joins mes prières aux siennes.

SCAPIN

J'ai cette insulte-là sur le cœur. **(17)**

OCTAVE

Il faut quitter ton ressentiment.

LÉANDRE

Voudrais-tu m'abandonner, Scapin, dans la cruelle extrémité où se voit mon amour?

SCAPIN

35 Me venir faire à l'improviste un affront comme celui-là!

LÉANDRE

J'ai tort, je le confesse.

SCAPIN

Me traiter de coquin, de fripon, de pendard, d'infâme!

LÉANDRE

J'en ai tous les regrets du monde.

SCAPIN

Me vouloir passer son épée au travers du corps!

LÉANDRE

40 Je t'en demande pardon de tout mon cœur; et, s'il ne tient
qu'à me jeter à tes genoux, tu m'y vois, Scapin, pour te conjurer
encore une fois de ne me point abandonner.

OCTAVE

Ah! ma foi, Scapin, il se faut rendre à cela. **(18)**

SCAPIN

Levez-vous. Une autre fois, ne soyez point si prompt.

LÉANDRE

45 Me promets-tu de travailler pour moi?

────── QUESTIONS ──────

17. Scapin vous semble-t-il avoir le droit de faire le fier? N'est-il
pas comique de lui voir mettre son honneur en avant? Pourquoi?

18. La vengeance de Scapin : montrez-en la rigueur; son parallélisme
avec l'injure qu'il a subie. D'après ce passage, quelles relations entre-
tiennent le maître et le valet?

SCAPIN

On y songera.

LÉANDRE

Mais tu sais que le temps presse!

SCAPIN

Ne vous mettez pas en peine. Combien est-ce qu'il vous faut?

LÉANDRE

50 Cinq cents écus[1].

SCAPIN

Et à vous?

OCTAVE

Deux cents pistoles[2].

SCAPIN

Je veux tirer cet argent de vos pères[3] **(19)**. *(A Octave.)* Pour ce qui est du vôtre, la machine est déjà toute trouvée. *(A Léandre.)*
55 Et quant au vôtre, bien qu'avare au dernier degré, il y faudra moins de façons encore; car vous savez que, pour l'esprit, il n'en a pas, grâces à Dieu, grande provision, et je le livre[4] pour une espèce d'homme à qui l'on fera toujours croire tout ce que l'on voudra. Cela ne vous offense point, il ne tombe entre
60 lui et vous aucun soupçon de ressemblance... Mais j'aperçois venir le père d'Octave. Commençons par lui, puisqu'il se présente. Allez-vous-en tous deux. *(A Octave.)* Et vous, avertissez votre Sylvestre de venir vite jouer son rôle. **(20) (21)**

1. *Écu* : pièce de monnaie valant trois livres; 2. *Pistole* : monnaie de compte correspondant à 10 livres; 3. Molière imite ici Térence : *Phormion* (vers 556-558); 4. Je le donne pour, je le juge.

■ **QUESTIONS** ■

19. Scapin semble prendre brusquement sa décision : qu'en est-il en réalité? Quels sentiments le poussent à aider Léandre? Scapin est-il rancunier?

20. Analysez le ton de Scapin dans cette réplique : animation, autorité, sécheresse précise. Son jugement sur Géronte n'est-il pas une dernière façon de prendre sa revanche sur Léandre? Quelle indication utile pour le spectateur ce portrait de Géronte comporte-t-il? Avait-on découvert, d'après les scènes première et II de l'acte II, qu'il est avare et crédule?

21. SUR L'ENSEMBLE DE LA SCÈNE IV. — Montrez que cette scène forme le pendant de la scène précédente, mais que les rôles sont inversés. Appréciez ce comique de situation.

— Sur le plan de l'action, la scène vous paraît-elle importante? En quoi?

— Le jugement que porte Scapin sur chacun des deux pères vous semble-t-il conforme à la réalité? Justifiez votre sentiment.

Scène V. — ARGANTE, SCAPIN

SCAPIN, *à part.*

Le voilà qui rumine.

ARGANTE, *se croyant seul.*

Avoir si peu de conduite et de considération[1]! S'aller jeter dans un engagement comme celui-là! Ah! ah! jeunesse impertinente[2]! **(22)**

SCAPIN

5   Monsieur, votre serviteur.

ARGANTE[3]

Bonjour, Scapin.

SCAPIN

Vous rêvez à l'affaire de votre fils?

ARGANTE

Je t'avoue que cela me donne un furieux chagrin.

SCAPIN

Monsieur, la vie est mêlée de traverses. Il est bon de s'y
10 tenir sans cesse préparé; et j'ai ouï dire, il y a longtemps, une
parole d'un ancien[4] que j'ai toujours retenue.

ARGANTE

Quoi?

SCAPIN

Que, pour peu qu'un père de famille ait été absent de chez
lui, il doit promener son esprit sur tous les fâcheux accidents
15 que son retour peut rencontrer : se figurer sa maison brûlée,
son argent dérobé, sa femme morte, son fils estropié, et ce qu'il
trouve qu'il ne lui est point arrivé, l'imputer à bonne fortune.
Pour moi, j'ai pratiqué toujours cette leçon dans ma petite
philosophie, et je ne suis jamais revenu au logis que je ne me

---

1. *Considération :* réflexion; 2. *Impertinent :* qui ne fait pas ce qui convient;
3. Argante s'exprime doucement et tristement; 4. Il s'agit de Térence, que
Molière suit ici de très près en imitant encore *Phormion*, vers 240 et suivants
(voir la Documentation thématique).

QUESTIONS

22. Comparez l'attitude d'Argante en ce début de scène et au commencement de la scène IV de l'acte premier : l'effet comique de cette similitude; qu'en conclure sur le caractère d'Argante?

20 sois tenu[1] prêt à la colère de mes maîtres, aux réprimandes, aux injures, aux coups de pied au cul, aux bastonnades, aux étrivières[2], et ce qui a manqué m'arriver, j'en ai rendu grâces à mon bon destin.

ARGANTE

Voilà qui est bien; mais ce mariage impertinent[3], qui trouble
25 celui que nous voulons faire, est une chose que je ne puis souffrir, et je viens de consulter des avocats pour le faire casser. **(23)**

SCAPIN

Ma foi, Monsieur, si vous m'en croyez, vous tâcherez par quelque autre voie d'accommoder l'affaire. Vous savez ce que c'est que les procès en ce pays-ci, et vous allez vous enfoncer
30 dans d'étranges épines[4].

ARGANTE

Tu as raison, je le vois bien. Mais quelle autre voie?

SCAPIN

Je pense que j'en ai trouvé une. La compassion que m'a donnée tantôt votre chagrin m'a obligé à chercher dans ma tête quelque moyen pour vous tirer d'inquiétude : car je ne
35 saurais voir d'honnêtes pères chagrinés par leurs enfants que cela ne m'émeuve, et de tout temps je me suis senti pour votre personne une inclination particulière.

ARGANTE

Je te suis obligé.

SCAPIN

J'ai donc été trouver le frère de cette fille qui a été épousée.
40 C'est un de ces braves[5] de profession, de ces gens qui sont

---

1. Sans que je me sois tenu; 2. *Étrivières* : courroies de cuir auxquelles sont suspendus les étriers du cheval; et, plus généralement, longues courroies pouvant servir de fouets; 3. *Impertinent* : voir page 63, note 2; 4. Image expressive pour dire « s'engager dans une affaire pleine de difficultés et de désagréments »; 5. *Brave* : assassin à gages, spadassin. Rôle traditionnel dans la comédie italienne (Rodomont, Fracasse).

━━━ **QUESTIONS** ━━━━━━━━━━━━━━━━━━━━━━━━━━━━━━

23. Scapin a un esprit très pratique : en quoi l'application à son propre cas de cette leçon de sagesse antique est-elle comique? L'argument de Scapin a-t-il convaincu Argante? Ce dernier change-t-il facilement d'idée lorsqu'il en a trouvé une?

tous[1] coups d'épée, qui ne parlent que d'échiner[2], et ne font
non plus de conscience de tuer un homme que d'avaler un
verre de vin. Je l'ai mis sur ce mariage, lui ai fait voir quelle
facilité offrait la raison de la violence[3] pour le faire casser, vos
45 prérogatives du nom de père, et l'appui que vous donneraient
auprès de la justice et votre droit, et votre argent, et vos amis.
Enfin, je l'ai tant tourné de tous les côtés qu'il a prêté l'oreille
aux propositions que je lui ai faites d'ajuster[4] l'affaire pour
quelque somme, et il donnera son consentement à rompre le
50 mariage, pourvu que vous lui donniez de l'argent.

ARGANTE

Et qu'a-t-il demandé? **(24)**

SCAPIN

Oh! d'abord, des choses par-dessus les maisons.

ARGANTE

Et quoi?

SCAPIN

Des choses extravagantes.

ARGANTE

55 Mais encore?

SCAPIN

Il ne parlait pas moins que de cinq ou six cents pistoles[5].

ARGANTE

Cinq ou six cents fièvres quartaines[6] qui le puissent serrer!
Se moque-t-il des gens?

---

1. *Tous* : adverbe, malgré l'accord, qui se fait traditionnellement dans la langue
classique; 2. *Échiner* : rompre l'échine, assommer; 3. Le motif tiré de la violence
faite à Octave; 4. *Ajuster* : arranger; 5. *Pistole* : voir page 62, note 2; 6. *Fièvre
quartaine* : fièvre à accès périodiques tous les quatre jours.

──────── QUESTIONS ────────

24. L'argumentation de Scapin : sa composition, sa progression. Certains procédés employés ne rappellent-ils pas la scène IV de l'acte premier? L'art de Scapin : 1° la part de comique traditionnel et celle de
la vraisemblance dans sa remarque sur les procès. Argante paraît-il
touché? Quels traits de son caractère cela nous révèle-t-il?; 2° la sympathie simulée pour Argante : l'adresse du procédé, l'ambiguïté comique
de l'*inclination particulière* qu'il dit éprouver; 3° L'insistance que met
Scapin à décrire le spadassin est-elle pure complaisance pour le détail
pittoresque? Comment embellit-il son propre rôle? — Argante est-il
hostile dès l'abord à la solution proposée?

SCAPIN

C'est ce que je lui ai dit. J'ai rejeté bien loin de pareilles
60 propositions, et je lui ai bien fait entendre que vous n'étiez
point une dupe pour vous demander des cinq ou six cents
pistoles. Enfin, après plusieurs discours, voici où s'est réduit
le résultat de notre conférence. « Nous voilà au temps, m'a-t-il
dit, que je dois partir pour l'armée. Je suis après à[1] m'équiper,
65 et le besoin que j'ai de quelque argent me fait consentir malgré
moi à ce qu'on me propose. Il me faut un cheval de service[2]
et je n'en saurais avoir un qui soit tant soit peu raisonnable[3] **(25)**,
à moins de soixante pistoles. »

ARGANTE

Hé bien! pour soixante pistoles je les donne.

SCAPIN

70 « Il faudra le harnais et les pistolets, et cela ira bien à vingt
pistoles encore. »

ARGANTE

Vingt pistoles et soixante, ce serait quatre-vingts.

SCAPIN

Justement.

ARGANTE

C'est beaucoup; mais soit, je consens à cela.

SCAPIN

75 « Il me faut aussi un cheval pour monter mon valet, qui
coûtera bien trente pistoles. »

ARGANTE

Comment, diantre! Qu'il se promène, il n'aura rien du tout!

the dickens!

1. *Après à :* en train de; 2. *Cheval d'armes;* 3. *Raisonnable :* convenable.

──────── **QUESTIONS** ────────

25. Le talent de Scapin. Montrez que le succès qu'il a déjà obtenu
l'anime; pourquoi, au départ, ne veut-il pas citer de chiffres? Que repré-
sentent *cinq ou six cents pistoles* (ligne 62) par rapport à la somme totale
que Scapin veut obtenir? Les *soixante pistoles* (ligne 68), dont il est
d'abord question, peuvent-elles effrayer Géronte? — Scapin imite la
voix du Matamore; est-ce uniquement pour inspirer un début de
crainte à Argante? N'a-t-il pas déjà montré ses talents d'imitateur?
— Devine-t-on déjà par quel moyen Scapin va arriver à ses fins?

SCAPIN

Monsieur!

ARGANTE

Non : c'est un impertinent.

SCAPIN

80 Voulez-vous que son valet aille à pied?

ARGANTE

Qu'il aille comme il lui plaira, et le maître aussi!

SCAPIN

Mon Dieu, Monsieur, ne vous arrêtez point à peu de chose.
N'allez point plaider, je vous prie, et donnez tout pour vous
sauver des mains de la justice.

ARGANTE

85 Hé bien! soit, je me résous à donner encore ces trente pistoles.

SCAPIN

« Il me faut encore, a-t-il dit, un mulet pour porter... »

ARGANTE

Oh! qu'il aille au diable avec son mulet! C'en est trop, et
nous irons devant les juges.

SCAPIN

90 De grâce, Monsieur...

ARGANTE

Non, je n'en ferai rien.

SCAPIN

Monsieur, un petit mulet.

ARGANTE

Je ne lui donnerais seulement pas un âne.

SCAPIN

Considérez...

ARGANTE

95 Non, j'aime mieux plaider. (26)

— QUESTIONS —

26. Analysez le mouvement de ce dialogue et ses effets comiques :
comique de gestes, comique de mots, comique de caractères. Ne sentait-on
pas déjà des réticences croissantes de la part d'Argante? Montrez en
quelles occasions. Scapin pensait-il réussir aussitôt par la persuasion?

SCAPIN

Eh! Monsieur, de quoi parlez-vous là, et à quoi vous résolvez-vous? Jetez les yeux sur les détours de la justice. Voyez combien d'appels et de degrés de juridiction, combien de procédures embarrassantes, combien d'animaux ravissants[1] par les griffes
100 desquels il vous faudra passer : sergents[2], procureurs[3], avocats, greffiers, substituts, rapporteurs, juges et leurs clercs. Il n'y a pas un de tous ces gens-là qui, pour la moindre chose, ne soit capable de donner un souffletau meilleur droit du monde[4]. Un sergent baillera[5] de faux exploits[6], sur quoi vous serez condamné sans que
105 vous le sachiez. Votre procureur s'entendra avec votre partie[7] et vous vendra à beaux deniers comptants. Votre avocat, gagné de même, ne se trouvera point lorsqu'on plaidera votre cause, ou dira des raisons qui ne feront que battre la campagne[8] et n'iront point au fait. Le greffier délivrera par contumace[9] des
110 sentences et arrêts contre vous. Le clerc du rapporteur soustraira des pièces, ou le rapporteur même ne dira pas ce qu'il a vu. Et quand, par les plus grandes précautions du monde, vous aurez paré tout cela, vous serez ébahi que vos juges auront été sollicités contre vous ou par des gens dévots ou par des
115 femmes qu'ils aimeront. Eh! Monsieur, si vous le pouvez, sauvez-vous de cet enfer-là! C'est être damné dès ce monde, que d'avoir à plaider, et la seule pensée d'un procès serait capable de me faire fuir jusqu'aux Indes. **(27)**

---

1. *Ravissant :* rapace, avide; 2. *Sergent :* officier de justice chargé de signifier les assignations, saisies; aujourd'hui, huissier; 3. *Procureur :* aujourd'hui, avoué; 4. Ne pas se gêner pour commettre une injustice à l'égard de celui qui est parfaitement dans son droit; 5. *Bailler :* donner; le mot, déjà vieilli au XVIIe siècle, est pris ici dans le sens traditionnel qu'avait alors la langue juridique; 6. *Exploit :* assignation en justice; 7. Votre adversaire; 8. *Battre la campagne :* divaguer, s'éloigner du sujet; 9. *Par contumace :* par défaut. Le jugement prononcé à l'égard d'un plaideur qui ne s'est pas présenté au tribunal est toujours plus sévère.

——— QUESTIONS ———

27. L'énumération des dangers courus par les plaideurs : montrez que c'est un thème traditionnel; Molière n'y fait-il allusion dans aucune autre pièce? Comparez aux *Plaideurs*, de Racine. — L'image que donne Scapin de la justice est-elle conforme à la réalité? Montrez que le comique vient surtout de la concentration et de l'accumulation. — Expliquez en quoi l'allusion à l'influence des *dévots* témoigne d'une autre préoccupation de l'époque, et tout spécialement de Molière; quels sont ses rapports avec eux? depuis quand? N'y a-t-il pas dans cette tirade des souvenirs de Rabelais, notamment de la satire de l' « Ile des chats fourrés » (livre V, chapitre II)? — Le spectateur d'aujourd'hui est-il encore sensible à cette satire sociale?

ARGANTE

A combien est-ce qu'il fait monter le mulet? *mulé*

SCAPIN

Monsieur, pour le mulet, pour son cheval et celui de son homme, pour le harnais et les pistolets, et pour payer quelque petite chose qu'il doit à son hôtesse, il demande en tout deux cents pistoles.

ARGANTE

Deux cents pistoles?

SCAPIN

Oui.

ARGANTE, *se promenant en colère le long du théâtre.*

Allons, allons, nous plaiderons.

SCAPIN

Faites réflexion...

ARGANTE

Je plaiderai...

SCAPIN

Ne vous allez point jeter...

ARGANTE

Je veux plaider. (28)

SCAPIN

Mais, pour plaider, il vous faudra de l'argent. Il vous en faudra pour l'exploit[1]. Il vous en faudra pour le contrôle[2]. Il vous en faudra pour la procuration[3], pour la présentation[4], conseils, productions[6] et journées du procureur. Il vous en

---

1. *Exploit* : voir page 68, note 6; 2. *Contrôle* : enregistrement de l'instance; 3. *Procuration* : acte par lequel un procureur (avoué) prend en main la cause d'un client; 4. *Présentation* : constitution d'avoué; 5. *Conseils* : consultations; 6. *Productions* : interventions au tribunal.

───── QUESTIONS ─────

28. Quelle est la réaction immédiate d'Argante à la longue tirade de Scapin? Analysez le procédé par lequel Scapin donne enfin le chiffre définitif; comparez-le à celui d'un camelot. Scapin n'a-t-il pas l'impression de toucher au but? — Comment le jeu de scène d'Argante, indiqué par Molière, atténue-t-il la décision qu'il prend de plaider? Montrez que la répétition pure et simple de la même idée prouve seulement l'entêtement du personnage. Semble-t-il même, dans sa dernière réplique (ligne 130), se souvenir des motifs pour lesquels il veut plaider?

135 faudra pour les consultations et plaidoiries des avocats, pour le droit de retirer le sac[1] et pour les grosses[2] d'écritures. Il vous en faudra pour le rapport des substituts, pour les épices de conclusion[3], pour l'enregistrement du greffier, façon d'appointement[4], sentences et arrêts, contrôles, signatures et expédi-
140 tions[5] de leurs clercs, sans parler de tous les présents qu'il vous faudra faire. Donnez cet argent-là à cet homme-ci, vous voilà hors d'affaire.

ARGANTE

Comment! deux cents pistoles! **(29)**

SCAPIN

Oui, vous y gagnerez. J'ai fait un petit calcul en moi-même
145 de tous les frais de la justice, et j'ai trouvé qu'en donnant deux cents pistoles à votre homme vous en aurez de reste pour le moins cinquante, sans compter les soins, les pas et les chagrins que vous vous épargnerez. Quand il n'y aurait à essuyer que les sottises que disent devant tout le monde de méchants
150 plaisants d'avocats, j'aimerais mieux encore donner trois cents pistoles que de plaider.

ARGANTE

Je me moque de cela, et je défie les avocats de rien dire de moi.

SCAPIN

Vous ferez ce qu'il vous plaira, mais si j'étais que de vous,
155 je fuirais les procès.

ARGANTE

Je ne donnerai point deux cents pistoles.

---

1. Quand le procès est fini, on retire les pièces qui sont enfermées dans des sacs; **2.** *Grosses* : copies (en *grosse* écriture); **3.** *Épices* : droit perçu par les juges pour les jugements rendus par écrit *conclusion*; payé autrefois en nature, ce droit était alors, sans avoir changé de nom, versé en argent; **4.** *Appointement* : jugement préparatoire pour demander des éclaircissements aux parties; **5.** *Expéditions* : copies légales d'un jugement.

■ QUESTIONS ■

29. Scapin fait un nouvel effort. Montrez qu'il emploie les mêmes procédés, mais en essayant de leur donner encore plus de force persuasive. La logique de sa conclusion. — Argante semble-t-il convaincu? Donne-t-il même l'impression d'avoir écouté?

SCAPIN

Voici l'homme dont il s'agit. (30) (31)

Scène VI. — SYLVESTRE, ARGANTE, SCAPIN

SYLVESTRE, *déguisé en spadassin[1].*

Scapin, fais-moi connaître un peu cet Argante qui est père d'Octave.

SCAPIN

Pourquoi, Monsieur?

SYLVESTRE

Je viens d'apprendre qu'il veut me mettre[2] en procès, et faire rompre par justice le mariage de ma sœur.

SCAPIN

Je ne sais pas s'il a cette pensée; mais il ne veut point consentir aux deux cents pistoles que vous voulez, et il dit que c'est trop.

SYLVESTRE

Par la mort! par la tête! par le ventre! si je le trouve, je le

---

1. C'est-à-dire avec de grandes moustaches, un large panache, une longue rapière;
2. Me faire un procès (à rapprocher de l'expression « mettre en cause »).

──────── QUESTIONS ────────

30. En quoi Scapin accentue-t-il encore sa pression sur le vieillard? Est-ce à sa seule avarice qu'il fait appel? Celui-ci est-il très raisonnable? Montrez le ridicule de sa réponse. — D'après les trois dernières répliques, montrez que la discussion piétine, que les personnages sont enfermés dans leur attitude et que seul un fait nouveau peut faire rebondir l'action.

31. Sur l'ensemble de la scène V. — Comparez cette scène à celle du *Phormion* de Térence, reproduite dans la Documentation thématique. Quels traits Molière a-t-il conservés? Montrez qu'il a modernisé la scène en y introduisant des éléments de satire sociale. Relevez tout ce qui donne vie et force comique à cette scène, par comparaison avec celle de la pièce latine. Quel détail Molière a-t-il aussi emprunté à la scène du *Phormion*, citée dans la Documentation thématique?

— Argante est-il le seul personnage de Molière dont l'avarice soit une source de comique? N'est-ce pas un trait général des pères de ce théâtre? Pourquoi faut-il qu'Argante ne soit pas convaincu?

— Quelle est l'importance de cette scène pour le déroulement de l'action? Quel est son intérêt principal?

10 veux échiner, dussé-je être roué[1] tout vif.

(Argante, pour n'être point vu, se tient en tremblant couvert de Scapin.)

SCAPIN

Monsieur, ce père d'Octave a du cœur[2], et peut-être ne vous craindra-t-il point.

SYLVESTRE

Lui? lui? Par le sang! par la tête! s'il était là, je lui donnerais tout à l'heure de l'épée dans le ventre. *(Apercevant Argante.)*
15 Qui est cet homme-là?

SCAPIN

Ce n'est pas lui, Monsieur, ce n'est pas lui.

SYLVESTRE

N'est-ce point quelqu'un de ses amis?

SCAPIN

Non, Monsieur, au contraire, c'est son ennemi capital[3].

SYLVESTRE

Son ennemi capital?

SCAPIN

20 Oui.

SYLVESTRE

Ah! parbleu! j'en suis ravi. *(A Argante.)* Vous êtes ennemi, Monsieur, de ce faquin d'Argante, eh?

SCAPIN

Oui, oui, je vous en réponds.

SYLVESTRE, *secouant la main d'Argante.*

Touchez là. Touchez. Je vous donne ma parole, et vous jure
25 sur mon honneur, par l'épée que je porte, par tous les serments que je saurais faire, qu'avant la fin du jour je vous déferai de ce maraud fieffé[4], de ce faquin d'Argante. Reposez-vous sur moi.

SCAPIN

Monsieur, les violences en ce pays-ci ne sont guère souffertes.

---

1. *Roué* : condamné au supplice de la roue; 2. *Cœur* : courage; 3. *Capital* : mortel; 4. *Fieffé* : s'ajoute, en général, à un mot injurieux ou péjoratif pour indiquer qu'on a au plus haut degré le défaut dont on parle, comme si on en avait fait son fief.

SYLVESTRE DÉGUISÉ EN SPADASSIN

« Par la mort! par la tête! par le ventre! si je le trouve...
Illustration d'A. Desenne.

SYLVESTRE

30 Je me moque de tout et je n'ai rien à perdre. **(32)**

SCAPIN

Il se tiendra sur ses gardes assurément; et il a des parents, des amis et des domestiques dont il se fera un secours contre votre ressentiment.

SYLVESTRE

C'est ce que je demande, morbleu! c'est ce que je demande.
35 *(Il met l'épée à la main, et pousse de tous les côtés, comme s'il y avait plusieurs personnes devant lui.)* Ah! tête! ah! ventre! que ne le trouvé-je à cette heure avec tout son secours! Que ne paraît-il à mes yeux au milieu de trente personnes! Que ne les vois-je fondre sur moi les armes à la main! Comment,
40 marauds! vous avez la hardiesse de vous attaquer à moi! Allons, morbleu, tue! Point de quartier. *(Poussant de tous les côtés, comme s'il avait plusieurs personnes à combattre.)* Donnons. Ferme. Poussons. Bon pied, bon œil. Ah! coquins! ah! canaille! vous en voulez par là, je vous en ferai tâter votre soûl. Soutenez,
45 marauds, soutenez. Allons. A cette botte. A cette autre. A celle-ci. A celle-là. *(Se tournant du côté d'Argante et de Scapin.)* Comment! vous reculez? Pied ferme, morbleu! pied ferme!

SCAPIN

Eh! eh! eh! Monsieur, nous n'en sommes pas.

SYLVESTRE

Voilà qui vous apprendra à vous oser jouer à moi. **(33)**
(Il s'éloigne.)

───── **QUESTIONS** ─────

32. Depuis quand était préparée cette scène? — Les vantardises de Sylvestre : comment se marquent- elles (jurons, menaces, ton employé pour s'adresser à Scapin, à Argante; jeux de scène que vous imaginerez)? Comparez à *l'Illusion comique* (acte II, scène II) de Corneille. Imaginez l'état d'esprit d'Argante et ses jeux de physionomie. Scapin joue-t-il bien son rôle?

33. Comment ce simulacre de bataille complète-t-il le portrait du Matamore? Analysez sa tirade en essayant de dégager son dynamisme : quel effet produit l'emploi du vocabulaire technique entrecoupé de jurons et d'exhortations à l'adversaire? Montrez l'habileté du fait que Sylvestre, pour terminer, se tourne vers Scapin et Argante. Imaginez les réactions de ce dernier. — Quel effet produit le départ de Sylvestre, parfaitement calme comme si l'affaire était réglée?

SCAPIN

50 Hé bien! vous voyez combien de personnes tuées pour deux
cents pistoles. Oh sus[1]! je vous souhaite une bonne fortune[2].

ARGANTE, *tout tremblant.*

Scapin!

SCAPIN

Plaît-il?

ARGANTE

Je me résous à donner les deux cents pistoles.

SCAPIN

55 J'en suis ravi pour l'amour de vous.

ARGANTE

Allons le trouver, je les ai sur moi.

SCAPIN

Vous n'avez qu'à me les donner. Il ne faut pas, pour votre
honneur, que vous paraissiez là, après avoir passé ici pour
autre que ce que vous êtes; et, de plus, je craindrais qu'en vous
60 faisant connaître[3], il n'allât s'aviser de vous en demander
davantage. (34)

ARGANTE

Oui; mais j'aurais été bien aise de voir comme je donne mon
argent.

SCAPIN

Est-ce que vous vous défiez de moi?

ARGANTE

65 Non pas, mais...

SCAPIN

Parbleu, Monsieur, je suis un fourbe ou je suis un honnête
homme; c'est l'un des deux. Est-ce que je voudrais vous tromper, et que dans tout ceci j'ai d'autre intérêt que le vôtre et

---

1. *Sus :* interjection employée pour exhorter; 2. *Fortune :* chance; 3. Si vous vous
faisiez connaître. Construction correcte au XVIIe siècle, bien que le sujet du participe
ne soit pas le même que celui du verbe à mode personnel.

——— QUESTIONS ———

34. Expliquez le comique de la première phrase prononcée par Scapin
(lignes 50-51). Pourquoi fait-il mine de s'en aller? Pourquoi Argante
est-il *tout tremblant?* Expliquez la dernière précaution prise par Scapin :
pour qui serait-il dangereux qu'Argante soit en présence du faux
Matamore?

celui de mon maître, à qui vous voulez vous allier? Si je vous
70 suis suspect, je ne me mêle plus de rien, et vous n'avez qu'à
chercher dès cette heure qui accommodera vos affaires.

ARGANTE

Tiens, donc.

SCAPIN

Non, Monsieur, ne me confiez point votre argent. Je serai
bien aise que vous vous serviez de quelque autre.

ARGANTE

75 Mon Dieu, tiens.

SCAPIN

Non, vous dis-je, ne vous fiez point à moi. Que sait-on si
je ne veux point attraper votre argent?

ARGANTE

Tiens, te dis-je, ne me fais point contester[1] davantage. Mais
songe à bien prendre tes sûretés avec lui[2].

SCAPIN

80 Laissez-moi faire, il n'a pas affaire à un sot.

ARGANTE

Je vais t'attendre chez moi. (35)

---

1. *Contester* : discuter; 2. Molière s'est inspiré ici de Plaute (*Bacchides*, acte IV,
scène IX, 1011-1018) :

NICOBULE. — Prends cet argent, Chrysale; va le porter à mon fils.
CHRYSALE. — Je ne le prendrai pas; charge un autre de cette commission. Je ne
veux pas qu'on me confie d'argent.
NICOBULE. — Prends; tu me désespères.
CHRYSALE. — Je ne le prendrai pas, je te le dis.
NICOBULE. — Mais je t'en prie.
CHRYSALE. — Je te dis ce qui en est.
NICOBULE. — Tu nous fais perdre du temps.
CHRYSALE. — Je ne veux pas, te dis-je, me charger de cet or. Ou bien envoie
avec moi quelqu'un qui me surveille.
NICOBULE. — Oh! tu es insupportable.
CHRYSALE. — Donne donc, puisqu'il le faut.

━━━━━━━ **QUESTIONS** ━━━━━━━━━━━

35. Montrez que l'ultime hésitation d'Argante est bien dans son caractère. Comment ce dernier détail risque-t-il de tout faire échouer? — Le
comique de Scapin jouant les hommes d'honneur blessés : relevez les
expressions comiques qu'il emploie. — Mettez en évidence la symétrie
des attitudes d'Argante et de Scapin : l'effet produit. — Comparez ce
passage à celui des *Bacchides*, de Plaute, cité note 2.

SCAPIN

Je ne manquerai pas d'y aller. *(Seul.)* Et un[1]. Je n'ai qu'à chercher l'autre. Ah! ma foi, le voici. Il semble que le Ciel, l'un après l'autre, les amène dans mes filets. (36) (37)

Scène VII. — GÉRONTE, SCAPIN

SCAPIN, *feignant de ne pas voir Géronte.*

Ô Ciel! ô disgrâce imprévue! ô misérable père! Pauvre Géronte, que feras-tu?

GÉRONTE, *à part.*

Que dit-il là de moi, avec ce visage affligé?

SCAPIN, *même jeu.*

N'y a-t-il personne qui puisse me dire où est le seigneur
5 Géronte?

GÉRONTE

Qu'y a-t-il, Scapin?

SCAPIN, *courant sur le théâtre, sans vouloir entendre ni voir Géronte.*

Où pourrai-je le rencontrer pour lui dire cette infortune?

GÉRONTE, *courant après Scapin.*

Qu'est-ce que c'est donc?

SCAPIN, *même jeu.*

En vain je cours de tous côtés pour le pouvoir trouver.

GÉRONTE

10 Me voici.

---

1. On dit plus volontiers : *Et d'un.*

─────── **QUESTIONS** ───────

36. Les commentaires de Scapin : la désinvolture de *Et un;* quelle est aussi l'utilité de cette réplique pour la marche de l'action? Qu'y a-t-il de comique dans son allusion au Ciel?

37. Sur l'ensemble de la scène VI. — Les éléments de farce dans cette scène.

— Le jeu de Sylvestre en spadassin semble-t-il correspondre à son caractère, tel du moins qu'il nous est apparu jusqu'à maintenant?

— Argante a-t-il ici une attitude conforme à son personnage. Quel est, en dernière analyse, le procédé employé par Scapin pour lui soutirer de l'argent?

SCAPIN, *même jeu.*

Il faut qu'il soit caché en quelque endroit qu'on ne puisse point deviner.

GÉRONTE, *arrêtant Scapin.*

Holà! es-tu aveugle, que tu ne me vois pas? **(38)**

SCAPIN

Ah! Monsieur, il n'y a pas moyen de vous rencontrer.

GÉRONTE

15 Il y a une heure que je suis devant toi. Qu'est-ce que c'est donc qu'il y a?

SCAPIN

Monsieur...

GÉRONTE

Quoi?

SCAPIN

Monsieur votre fils...

GÉRONTE

20 Hé bien! mon fils...

SCAPIN

Est tombé dans une disgrâce[1] la plus étrange du monde.

GÉRONTE

Et quelle?

SCAPIN

Je l'ai trouvé tantôt, tout triste de je ne sais quoi que vous lui avez dit, où vous m'avez mêlé assez mal à propos, et, cher-
25 chant à divertir[2] cette tristesse, nous nous sommes allés promener sur le port. Là, entre autres plusieurs choses, nous avons arrêté nos yeux sur une galère turque assez bien équipée. Un jeune Turc de bonne mine nous a invités d'y entrer et nous a présenté la main. Nous y avons passé, il nous a fait mille civilités,

---

1. *Disgrâce :* malheur; 2. *Divertir :* distraire.

━━━━━ QUESTIONS ━━━━━

38. De quelle nature est le procédé comique de ce début de scène? Voit-on souvent dans les comédies un personnage parler seul sans s'apercevoir de la présence d'un autre personnage à ses côtés? Quelle variation Molière fait-il ici sur ce thème? — Dans quel état d'esprit Scapin veut-il mettre Géronte? N'a-t-il pas procédé de la même façon avec Argante?

30 nous a donné la collation, où nous avons mangé des fruits les
plus excellents qui se puissent voir, et bu du vin que nous avons
trouvé le meilleur du monde.

GÉRONTE

Qu'y a-t-il de si affligeant à tout cela?

SCAPIN

Attendez, Monsieur, nous y voici. Pendant que nous man-
35 gions, il a fait mettre la galère en mer, et, se voyant éloigné
du port, il m'a fait mettre dans un esquif, et m'envoie vous
dire que, si vous ne lui envoyez par moi tout à l'heure cinq
cents écus, il va nous emmener votre fils en Alger[1].

GÉRONTE

Comment! diantre, cinq cents écus[2]!

SCAPIN

40 Oui, Monsieur; et, de plus, il ne m'a donné pour cela que
deux heures. (39)

GÉRONTE

Ah! le pendard de Turc! m'assassiner[3] de la façon[4]!

SCAPIN

C'est à vous, Monsieur, d'aviser promptement aux moyens
de sauver des fers un fils que vous aimez avec tant de tendresse.

GÉRONTE

45 Que diable allait-il faire dans cette galère?

---

1. *En Alger* : emploi de *en* au lieu de *à* devant les noms de ville commençant par
une voyelle. Rapprochez de « en Avignon »; 2. *Écu* : voir page 62, note 1; 3. *Assassiner* : voir page 20, note 5; 4. *De la façon* : de cette façon. Valeur démonstrative de
l'article.

--- QUESTIONS ---

39. Quelle ruse Scapin emploie-t-il cette fois? Relevez les détails
romanesques de cette histoire. Celle-ci est-elle cependant invraisem-
blable, quand on sait le lieu de la scène et l'existence de pirates barba-
resques à cette époque? — Les éléments comiques : sur quel ton Scapin
doit-il prononcer la fin de sa première tirade (lignes 30-32) pour justifier
la question de Géronte? Scapin ménage-t-il ses effets ici? Pourquoi?
— Soulignez le comique de l'exclamation (ligne 39) : pense-t-il d'abord
à son fils? — La concision de la précision qu'ajoute Scapin (ligne 40). La
situation dans laquelle se trouve Léandre, si l'on en croit Scapin, est-elle
plus dramatique que celle où, selon lui, se trouvait Octave? Pourquoi
Scapin est-il obligé de grossir et d'accentuer les effets quand il s'agit de
convaincre Géronte?

SCAPIN

Il ne songeait pas à ce qui est arrivé.

GÉRONTE

Va-t'en, Scapin, va-t'en dire à ce Turc que je vais envoyer la justice après lui.

SCAPIN

La justice en pleine mer! Vous moquez-vous des gens?

GÉRONTE

50 Que diable allait-il faire dans cette galère?

SCAPIN

Une méchante destinée conduit quelquefois les personnes. **(40)**

GÉRONTE

Il faut, Scapin, il faut que tu fasses ici l'action d'un serviteur fidèle.

SCAPIN

Quoi, Monsieur?

GÉRONTE

55 Que tu ailles dire à ce Turc qu'il me renvoie mon fils, et que tu te mettes à sa place jusqu'à ce que j'aie amassé la somme qu'il demande.

SCAPIN

Eh! Monsieur, songez-vous à ce que vous dites? et vous figurez-vous que ce Turc ait si peu de sens que d'aller recevoir 60 un misérable comme moi à la place de votre fils?

GÉRONTE

Que diable allait-il faire dans cette galère?

─────── QUESTIONS ───────

40. Les premières réactions de Géronte : penserait-il à agir en faveur de son fils si Scapin ne lui rappelait ironiquement ses devoirs de père? — En quoi la solution qu'envisage d'abord Géronte (lignes 47-48) est-elle révélatrice non seulement de son caractère, mais aussi de sa condition? Comparez cette solution à celle à laquelle s'obstinait Argante (acte III, scène v). Pourquoi le recours à la justice leur donne-t-il bonne conscience à l'un comme à l'autre? — *Que diable allait-il faire dans cette galère?* Montrez que cette question cache, en réalité, un désarroi complet. Scapin se donne-t-il la peine de répondre à la question?

SCAPIN

Il ne devinait pas ce malheur. Songez, Monsieur, qu'il ne m'a donné que deux heures. **(41)**

GÉRONTE

Tu dis qu'il demande...

SCAPIN

65 Cinq cents écus.

GÉRONTE

Cinq cents écus! N'a-t-il point de conscience?

SCAPIN

Vraiment oui, de la conscience à un Turc!

GÉRONTE

Sait-il bien ce que c'est que cinq cents écus?

SCAPIN

Oui, Monsieur, il sait que c'est mille cinq cents livres.

GÉRONTE

70 Croit-il, le traître, que mille cinq cents livres se trouvent dans le pas d'un cheval?

SCAPIN

Ce sont des gens qui n'entendent point de raison.

GÉRONTE

Mais que diable allait-il faire à[1] cette galère?

SCAPIN

Il est vrai; mais quoi! on ne prévoyait pas les choses. De 75 grâce, Monsieur, dépêchez. **(42)**

GÉRONTE

Tiens, voilà la clef de mon armoire.

---

1. *Var.* : « Dans cette galère? » (édition de 1734).

─────── **QUESTIONS** ───────

41. Quel est l'effet comique produit par la deuxième solution imaginée par Géronte? En quoi la réponse de Scapin est-elle habile et juste à la fois?

42. Montrez qu'un nouveau rythme est donné à la scène à partir du moment où Scapin rappelle à Géronte le temps qui s'écoule. Ce rappel pousse-t-il le vieillard à prendre une décision? — Pourquoi Géronte fait-il répéter le chiffre de cinq cents écus? Ne se souvient-il plus?

SCAPIN

Bon.

GÉRONTE

Tu l'ouvriras.

SCAPIN

Fort bien.

GÉRONTE

80 Tu trouveras une grosse clef du côté gauche, qui est celle de mon grenier.

SCAPIN

Oui.

GÉRONTE

Tu iras prendre toutes les hardes[1] qui sont dans cette grande manne[2], et tu les vendras aux fripiers pour aller racheter mon
85 fils. (43)

SCAPIN, *en lui rendant la clef.*

Eh! Monsieur, rêvez-vous? Je n'aurais pas cent francs de tout ce que vous dites; et, de plus, vous savez le peu de temps qu'on m'a donné.

GÉRONTE

Mais que diable allait-il faire dans cette galère?

SCAPIN

90 Oh! que de paroles perdues! Laissez là cette galère, et songez que le temps presse, et que vous courez risque de perdre votre fils. Hélas! mon pauvre maître, peut-être que je ne te verrai de ma vie, et qu'à l'heure que je parle, on t'emmène esclave en Alger! Mais le Ciel me sera témoin que j'ai fait pour toi
95 tout ce que j'ai pu, et que si tu manques[3] à être racheté, il n'en faut accuser que le peu d'amitié d'un père. (44)

---

1. *Hardes :* vêtements; le mot est pris en général au XVIIᵉ siècle sans nuance défavorable, mais il s'agit évidemment ici de vieux vêtements usagés; 2. *Manne :* panier long et profond, à deux anses; 3. *Manquer à :* ne pas pouvoir.

QUESTIONS

43. Les prières de Scapin ont-elles réussi à tirer de Géronte une décision? Sur quel ton le vieillard donne-t-il ses indications à Scapin? De quelle nature est l'effet comique final?

44. Scapin ne joue-t-il pas le grand jeu? Imaginez son attitude. Quels sentiments invoque-t-il? A-t-il maintenant des chances de convaincre Géronte?

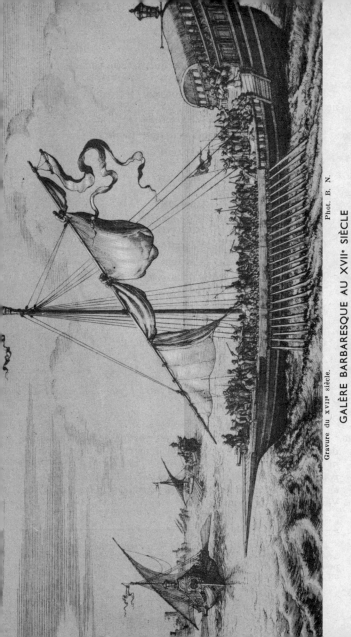

Gravure du XVIIᵉ siècle.   Phot. B. N.

GALÈRE BARBARESQUE AU XVIIᵉ SIÈCLE

« Que diable allait-il faire dans cette galère ? »

GÉRONTE

Attends, Scapin, je m'en vais quérir cette somme.

SCAPIN

Dépêchez-vous donc vite, Monsieur, je tremble que l'heure ne sonne.

GÉRONTE

100 N'est-ce pas quatre cents écus que tu dis?

SCAPIN

Non, cinq cents écus.

GÉRONTE

Cinq cents écus?

SCAPIN

Oui.

GÉRONTE

Que diable allait-il faire à cette galère?

SCAPIN

105 Vous avez raison. Mais hâtez-vous.

GÉRONTE

N'y avait-il point d'autre promenade?

SCAPIN

Cela est vrai. Mais faites promptement.

GÉRONTE

Ah! maudite galère!

SCAPIN, *à part.*

Cette galère lui tient au cœur.

GÉRONTE

110 Tiens, Scapin, je ne me souvenais pas que je viens justement de recevoir cette somme en or, et je ne croyais pas qu'elle dût m'être sitôt ravie. *(Il lui présente sa bourse, qu'il ne laisse pourtant pas aller, et, dans ses transports, il fait aller son bras de côté et d'autre, et Scapin le sien pour avoir la bourse.)* Tiens!
115 Va-t'en racheter mon fils. **(45)**

——————— QUESTIONS ———————

45. Analysez les effets comiques de ce passage : quels sont ceux qui, ayant été déjà utilisés, sont repris ici? Pourquoi prennent-ils une valeur nouvelle? — Pourquoi est-il nécessaire que Géronte, tout comme Argante, ait l'argent sur lui?

SCAPIN, *tendant la main.*

Oui, Monsieur.

GÉRONTE, *retenant la bourse*
qu'il fait semblant de vouloir donner à Scapin.

Mais dis à ce Turc que c'est un scélérat.

SCAPIN, *tendant toujours la main.*

Oui.

GÉRONTE, *même jeu.*

Un infâme.

SCAPIN

20 Oui.

GÉRONTE, *même jeu.*

Un homme sans foi, un voleur.

SCAPIN

Laissez-moi faire.

GÉRONTE, *même jeu.*

Qu'il me tire cinq cents écus contre toute sorte de droit.

SCAPIN

Oui.

GÉRONTE, *même jeu.*

25 Que je ne les lui donne ni à la mort ni à la vie.

SCAPIN

Fort bien.

GÉRONTE

Et que, si jamais je l'attrape, je saurai me venger de lui.

SCAPIN

Oui. (46)

GÉRONTE, *remettant sa bourse dans sa poche et s'en allant.*

Va, va vite requérir[1] mon fils.

---

1. *Requérir* : rechercher.

─────── QUESTIONS ───────

46. Montrez que tout ce passage exprime le besoin de compensation qu'éprouve Géronte. Pourquoi Scapin n'intervient-il pratiquement plus ? Ne peut-on cependant imaginer des jeux de scène qui accentuent le comique de la situation ? — Que signifie l'avant-dernière réplique de Géronte (ligne 125) ? Pourquoi fait-elle rire ?

SCAPIN, *allant après lui.*

130 Holà! Monsieur.

GÉRONTE

Quoi?

SCAPIN

Où est donc cet argent?

GÉRONTE

Ne te l'ai-je pas donné?

SCAPIN

Non, vraiment, vous l'avez remis dans votre poche.

GÉRONTE

135 Ah! c'est la douleur qui me trouble l'esprit.

SCAPIN

Je le vois bien.

GÉRONTE

Que diable allait-il faire dans cette galère? Ah! maudite galère! Traître de Turc à tous les diables! **(47)**

SCAPIN, *seul.*

Il ne peut digérer les cinq cents écus que je lui arrache; mais
140 il n'est pas quitte envers moi, et je veux qu'il me paie en
une autre monnaie l'imposture qu'il m'a faite auprès de son
fils. **(48) (49)**

──────── QUESTIONS ────────

47. L'ultime rebondissement de la scène. Le geste de Géronte est-il
totalement inconscient? Que trahit-il? L'explication qu'en donne Géronte
est-elle fausse? Mais de quelle douleur s'agit-il? — Le comique de la
fureur sénile et impuissante qui saisit Géronte avant de quitter la scène.

48. Quelle promesse comique fait Scapin à la fin de cette scène? A
quelle *imposture* fait-il allusion? En quoi cette réplique est-elle importante pour la suite de l'action?

49. SUR L'ENSEMBLE DE LA SCÈNE VII. — Quels sont les différents
mouvements de la scène?

— Cette scène fait-elle beaucoup avancer l'action? Quel est son intérêt?

— Comparez cette scène à la précédente. Scapin se donne-t-il autant
de mal? Pourquoi? Que pense-t-il de Géronte?

— Analysez les procédés comiques et comparez la scène avec celle du
Pédant joué citée dans la Documentation thématique.

— Le personnage de Géronte : son avarice est-elle comparable à celle
d'Harpagon?

Scène VIII. — OCTAVE, LÉANDRE, SCAPIN.

OCTAVE

Hé bien! Scapin, as-tu réussi pour moi dans ton entreprise?

LÉANDRE

As-tu fait quelque chose pour tirer mon amour de la peine
où il est?

SCAPIN, *à Octave.*

Voilà deux cents pistoles que j'ai tirées de votre père.

OCTAVE

5   Ah! que tu me donnes de joie!

SCAPIN, *à Léandre.*

Pour vous je n'ai pu faire rien.

LÉANDRE, *veut s'en aller.*

Il faut donc que j'aille mourir; et je n'ai que faire de vivre,
si Zerbinette m'est ôtée.

SCAPIN

Holà! holà! tout doucement. Comme diantre vous allez
10 vite!

LÉANDRE, *se retourne.*

Que veux-tu que je devienne?

SCAPIN

Allez, j'ai votre affaire ici.

LÉANDRE, *revient.*

Ah! tu me redonnes la vie.

SCAPIN

Mais à condition que vous me permettrez, à moi, une petite
15 vengeance contre votre père pour le tour qu'il m'a fait.

LÉANDRE

Tout ce que tu voudras.

SCAPIN

Vous me le promettez[1] devant témoin?

---

1. De ne pas me punir dans ce cas.

LÉANDRE

Oui.

SCAPIN

Tenez, voilà cinq cents écus.

LÉANDRE

20 Allons-en[1] promptement acheter[2] celle que j'adore. **(50) (51)**

ACTE III

SCÈNE PREMIÈRE. — ZERBINETTE, HYACINTE, SCAPIN, SYLVESTRE

SYLVESTRE

Oui, vos amants ont arrêté entre eux que vous fussiez ensemble,
et nous nous acquittons de l'ordre qu'ils nous ont donné.

HYACINTE, *à Zerbinette.*

Un tel ordre n'a rien qui ne me soit fort agréable. Je reçois
avec joie une compagne de la sorte, et il ne tiendra pas à moi
5 que l'amitié qui est entre les personnes que nous aimons ne se
répande entre nous deux.

ZERBINETTE

J'accepte la proposition, et ne suis point personne à reculer
lorsqu'on m'attaque[3] d'amitié.

---

1. *En* : avec cet argent; 2. Il s'agit de cette sorte de rançon que les bohémiens
réclament pour donner à Zerbinette sa liberté et dont il a été question au début de
la scène IV de l'acte II; 3. *Attaquer d'amitié* : faire des avances d'amitié.

──────── **QUESTIONS** ────────

50. SUR LA SCÈNE VIII. — Pourquoi Scapin n'annonce-t-il pas aussitôt
à Léandre le succès de l'opération? Léandre ne paraît-il pas accepter
bien vite l'idée de Scapin? Comment peut-on l'expliquer?

— L'importance de cette scène pour l'action. Comparez à la dernière
scène de l'acte premier sur ce point.

51. SUR L'ENSEMBLE DE L'ACTE II. — Cet acte vous paraît-il surtout
important sur le plan de l'action ou sur celui du comique?

— Comparez les deux pères, Argante et Géronte. Sont-ils seulement des
personnages de farce? Quels sont leurs traits communs? D'où viennent
les différences dans leur personnalité?

— La morale a-t-elle ici de l'importance? Pourquoi le spectateur ne
s'émeut-il pas des « tours » que joue Scapin et des moyens qu'il emploie?

SCAPIN

Et lorsque c'est d'amour qu'on vous attaque? (1)

ZERBINETTE

10 Pour l'amour, c'est une autre chose : on y court un peu
plus de risque, et je n'y suis pas si hardie.

SCAPIN

Vous l'êtes, que je crois, contre mon maître[1] maintenant; et
ce qu'il vient de faire pour vous doit vous donner du cœur
pour répondre comme il faut à sa passion.

ZERBINETTE

15 Je ne m'y fie encore que de la bonne sorte[2], et ce n'est pas
assez pour m'assurer[3] entièrement, que ce qu'il vient de faire.
J'ai l'humeur enjouée, et sans cesse je ris; mais, tout en riant,
je suis sérieuse sur de certains chapitres; et ton maître s'abusera
s'il croit qu'il lui suffise de m'avoir achetée pour me voir toute
20 à lui. Il doit lui en coûter autre chose que de l'argent; et, pour
répondre à son amour de la manière qu'il souhaite, il me faut
un don de sa foi qui soit assaisonné de certaines cérémonies
qu'on trouve nécessaires. (2)

SCAPIN

C'est là aussi comme il l'entend. Il ne prétend à vous qu'en
25 tout bien et en tout honneur; et je n'aurais pas été homme à
me mêler de cette affaire, s'il avait une autre pensée.

ZERBINETTE

C'est ce que je veux croire, puisque vous me le dites; mais
du côté du père, j'y prévois des empêchements.

SCAPIN

Nous trouverons moyen d'accommoder les choses.

---

1. Il faut supposer ici une expression raccourcie : « Vous êtes attaquée par mon
maître et vous avez à tenir contre lui »; 2. Dans la mesure de l'honnêteté; 3. *M'assurer :* me donner confiance.

——— **QUESTIONS** ———

1. Quelle utilité l'intervention de Scapin comporte-t-elle? Comment
s'engage cette scène?

2. Quel caractère Zerbinette montre-t-elle ici? Sa moralité. Pourquoi
la jeune fille fait-elle la théorie de son personnage? — De quelles *cérémonies* (ligne 22) s'agit-il?

HYACINTE, *à Zerbinette*.

30 La ressemblance de nos destins doit contribuer encore à faire naître notre amitié; et nous nous voyons toutes deux dans les mêmes alarmes, toutes deux exposées à la même infortune.

ZERBINETTE

Vous avez cet avantage, au moins, que vous savez de qui vous êtes née, et que l'appui de vos parents, que vous pouvez 35 faire connaître, est capable d'ajuster[1] tout, pour assurer votre bonheur et faire donner un consentement au mariage qu'on trouve fait. Mais, pour moi, je ne rencontre aucun secours dans ce que je puis être, et l'on me voit dans un état qui n'adoucira pas les volontés d'un père qui ne regarde que le bien[2].

HYACINTE

40 Mais aussi avez-vous cet avantage que l'on ne tente point par un autre parti celui que vous aimez.

ZERBINETTE

Le changement du cœur d'un amant n'est pas ce qu'on peut le plus craindre. On se peut naturellement croire assez de mérite pour garder sa conquête; et ce que je vois de plus redoutable 45 dans ces sortes d'affaires, c'est la puissance paternelle, auprès de qui tout le mérite ne sert de rien.

HYACINTE

Hélas! pourquoi faut-il que de justes inclinations se trouvent traversées? La douce chose que d'aimer, lorsque l'on ne voit point d'obstacles à ces aimables chaînes dont deux cœurs se 50 lient ensemble!

SCAPIN

Vous vous moquez. La tranquillité en amour est un calme désagréable. Un bonheur tout uni nous devient ennuyeux; il faut du haut et du bas[3] dans la vie, et les difficultés qui se mêlent aux choses réveillent les ardeurs, augmentent les plaisirs (3).

1. *Ajuster :* arranger; 2. *Le bien :* la fortune; 3. Nous avons gardé la même expression, mais au pluriel.

■ QUESTIONS ■

3. Que nous apporte ce dialogue? Que cherche à démontrer chacune des jeunes filles à l'autre? Quels nouveaux traits de caractère Zerbinette montre-t-elle par sa dernière réplique (lignes 42-46)? — Les deux conceptions, celle de Hyacinte et celle de Scapin, ne sont-elles pas conformes à ce que nous connaissons de leur caractère? Montrez que la réplique de Scapin est une habile transition entre les deux parties de la scène.

ZERBINETTE

55 Mon Dieu, Scapin, fais-nous un peu ce récit, qu'on m'a dit
qui est si plaisant, du stratagème dont tu t'es avisé pour tirer
de l'argent de ton vieillard avare. Tu sais qu'on ne perd point
sa peine lorsqu'on me fait un conte, et que je le paie assez bien
par la joie qu'on m'y voit prendre.

SCAPIN

60 Voilà Sylvestre qui s'en acquittera aussi bien que moi. J'ai
dans la tête certaine petite vengeance dont je vais goûter le
plaisir.

SYLVESTRE

Pourquoi, de gaieté de cœur, veux-tu chercher à t'attirer de
méchantes affaires?

SCAPIN

65 Je me plais à tenter des entreprises hasardeuses.

SYLVESTRE

Je te l'ai déjà dit, tu quitterais le dessein que tu as, si tu m'en
voulais croire.

SCAPIN

Oui; mais c'est moi que j'en croirai.

SYLVESTRE

A quoi diable te vas-tu amuser?

SCAPIN

70 De quoi diable te mets-tu en peine?

SYLVESTRE

C'est que je vois que sans nécessité tu vas courir risque de
t'attirer une venue[1] de coups de bâton.

SCAPIN

Hé bien! c'est au dépens de mon dos, et non pas du tien.

SYLVESTRE

Il est vrai que tu es maître de tes épaules, et tu en disposeras
75 comme il te plaira.

SCAPIN

Ces sortes de périls ne m'ont jamais arrêté, et je hais ces

---

1. *Venue* : récolte, moisson.

cœurs pusillanimes qui, pour trop prévoir les suites des choses,
n'osent rien entreprendre. **(4)**

ZERBINETTE, à Scapin.

Nous aurons besoin de tes soins.

SCAPIN

80 Allez, je vous irai bientôt rejoindre. Il ne sera pas dit qu'im-
punément on m'ait mis en état de me trahir moi-même et de
découvrir les secrets qu'il était bon qu'on ne sût pas. **(5) (6)**

SCÈNE II. — GÉRONTE, SCAPIN[1].

GÉRONTE

Hé bien! Scapin, comment va l'affaire de mon fils?

SCAPIN

Votre fils, Monsieur, est en lieu de sûreté[2]; mais vous courez
maintenant, vous, le péril le plus grand du monde, et je voudrais
pour beaucoup que vous fussiez dans votre logis.

GÉRONTE

5 Comment donc?

SCAPIN

A l'heure que je vous parle, on vous cherche de toutes parts
pour vous tuer.

---

1. Pour l'habillement de Scapin au début de la scène, voir la Notice, p. 11; 2. *Lieu de sûreté :* voir acte premier, scène IV, ligne 19, et la note 2, p. 38.

■ QUESTIONS ■

4. Comment le caractère de Scapin se précise-t-il ici? Soulignez l'adap-
tation de sa maxime (lignes 77-78) à l'action. Scapin, par cette réflexion,
n'échappe-t-il pas au domaine de la farce?

5. Quel aspect du personnage apparaît ici? Est-il surprenant? De
quels *secrets* s'agit-il?

6. SUR L'ENSEMBLE DE LA SCÈNE PREMIÈRE. — Faites le plan de la scène.
Caractérisez le ton et le style de chacune des deux parties.

— On a dit de Scapin qu'il faisait ici la « théorie de son personnage ».
Quelle est cette théorie? Montrez que l'intention de la scène est surtout
de nous faire connaître les deux héroïnes, en faveur desquelles Scapin
a joué Argante et Géronte. Sont-elles sympathiques?

— Pourquoi Scapin charge-t-il Sylvestre de raconter son stratagème?
En quoi la scène annonce-t-elle la suite?

GÉRONTE

Moi?

SCAPIN

Oui.

GÉRONTE

10   Et qui? (7)

SCAPIN

Le frère de cette personne qu'Octave a épousée. Il croit
que le dessein que vous avez de mettre votre fille à la place
que tient sa sœur est ce qui pousse le plus fort à faire rompre
leur mariage, et, dans cette pensée, il a résolu hautement de
15 décharger son désespoir sur vous, et de vous ôter la vie pour
venger son honneur. Tous ses amis, gens d'épée comme lui,
vous cherchent de tous les côtés et demandent de vos nouvelles.
J'ai vu même deçà et delà des soldats de sa compagnie qui
interrogent ceux qu'ils trouvent, et occupent par pelotons toutes
20 les avenues[1] de votre maison. De sorte que vous ne sauriez
aller chez vous, vous ne sauriez faire un pas ni à droite ni à
gauche, que vous ne tombiez dans leurs mains. (8)

GÉRONTE

Que ferai-je, mon pauvre Scapin?

SCAPIN

Je ne sais pas, Monsieur, et voici une étrange affaire. Je
25 tremble pour vous depuis les pieds jusqu'à la tête, et... Attendez.
*(Il se retourne, et fait semblant d'aller voir au bout du théâtre s'il
n'y a personne.)*

GÉRONTE, *en tremblant.*

Eh?

SCAPIN, *en revenant.*

Non, non, non, ce n'est rien.

---

1. *Avenue :* accès.

━━━━━━ **QUESTIONS** ━━━━━━

7. Géronte est-il tout de suite effrayé?

8. Voit-on comment a pu germer dans l'esprit de Scapin cette invention, destinée à effrayer Géronte? Pourquoi faire encore allusion à ce
prétendu frère de Hyacinte, qui lui avait déjà servi contre Argante
(voir acte II, scène v, ligne 39)? Est-ce manque d'imagination de la part
de Scapin? ou habileté? Quel effet crée sur le spectateur la perspective
d'un procédé déjà utilisé à l'acte précédent?

GÉRONTE

Ne saurais-tu trouver quelque moyen pour me tirer de peine?

SCAPIN

30 J'en imagine bien un; mais je courrais risque, moi, de me faire assommer.

GÉRONTE

Eh! Scapin, montre-toi serviteur zélé. Ne m'abandonne pas, je te prie.

SCAPIN

Je le veux bien. J'ai une tendresse pour vous qui ne saurait 35 souffrir que je vous laisse sans secours.

GÉRONTE

Tu en seras récompensé, je t'assure; et je te promets cet habit-ci, quand je l'aurai un peu usé.

SCAPIN

Attendez. Voici une affaire que je me[1] suis trouvée fort à propos pour vous sauver. Il faut que vous vous mettiez dans 40 ce sac, et que...

GÉRONTE, *croyant voir quelqu'un.*

Ah! (9)

SCAPIN

Non, non, non, non, ce n'est personne. Il faut, dis-je, que vous vous mettiez là-dedans, et que vous vous gardiez de remuer en aucune façon. Je vous chargerai sur mon dos comme 45 un paquet de quelque chose, et je vous porterai ainsi, au travers de vos ennemis, jusque dans votre maison, où, quand nous serons une fois, nous pourrons nous barricader et envoyer quérir main-forte contre la violence.

GÉRONTE

L'invention est bonne.

---

1. *Me* : emploi explétif du langage familier. *Une affaire* désigne le sac. Le jeu de scène complète le texte.

──────── QUESTIONS ────────

9. Comment Scapin parvient-il à inquiéter Géronte? Quel plaisir se donne-t-il à se faire prier par le vieillard? — Analysez le double sens de la réplique (lignes 30-31); quel genre de comique est utilisé ici? — Quel autre effet comique naît de la réplique de Géronte (lignes 36-37)?

SCAPIN

50   La meilleure du monde. Vous allez voir. *(A part.)* Tu me
paieras l'imposture.

GÉRONTE

Eh?

SCAPIN

Je dis que vos ennemis seront bien attrapés. Mettez-vous
bien jusqu'au fond, et surtout prenez garde de ne vous point
55 montrer et de ne branler¹ pas, quelque chose qui puisse arriver.

GÉRONTE

Laisse-moi faire. Je saurai me tenir... **(10)**

SCAPIN

Cachez-vous, voici un spadassin² qui vous cherche. *(En
contrefaisant sa voix.)* « Quoi! jé n'aurai pas l'abantage³ dé
tuer cé Géronte et quelqu'un par charité né m'enseignera pas
60 où il est? » *(A Géronte, avec sa voix ordinaire.)* Ne branlez
pas. *(Reprenant son ton contrefait.)* « Cadédis⁴! jé lé trouberai,
se cachât-il au centre de la terre. » *(A Géronte, avec son ton
naturel.)* Ne vous montrez pas. *(Tout le langage gascon est
supposé de celui qu'il contrefait, et le reste de lui.)* « Oh! l'homme
65 au sac. — Monsieur. — Jé té vaille un louis, et m'enseigne où
put être Géronte. — Vous cherchez le seigneur Géronte? —
Oui, mordi! jé lé cherche. — Et pour quelle affaire, Monsieur?
— Pour quelle affaire? — Oui. — Jé beux, cadédis! lé faire
mourir sous les coups dé vâton. — Oh! Monsieur, les coups
70 de bâton ne se donnent point à des gens comme lui, et ce n'est
pas un homme à être traité de la sorte. — Qui, cé fat de Géronte,
cé maraud, cé vélître⁵? — Le seigneur Géronte, Monsieur,
n'est ni fat, ni maraud, ni bélître, et vous devriez, s'il vous
plaît, parler d'autre façon. — Comment! tu mé traites, à moi⁶,
75 avec cette hauteur? — Je défends, comme je dois, un homme

---

1. *Branler :* remuer; 2. *Spadassin :* bretteur, tueur à gages; 3. Pseudo-langage gascon
qui intervertit les *v* et les *b*; 4. *Cadédis :* tête (cap) de Dieu; 5. *Bélître :* gueux, homme
de rien; 6. Jargon populaire. Renforcement du pronom personnel accompagné d'un
geste de la main.

——— **QUESTIONS** ———————

10. Comment Scapin donne-t-il de la vraisemblance à son invention?
— Commentez les trois répliques de Géronte : quels différents sentiments
expriment-elles? Analysez les effets comiques qu'elles produisent.

Phot. Lipnitzki.

LES FOURBERIES DE SCAPIN À LA COMÉDIE-FRANÇAISE (1956)

Géronte (Michel Aumont) et Scapin (Robert Hirsch)

« Il faut que vous vous mettiez dans ce sac... » (acte III, scène II)
JEAN-LOUIS BARRAULT (SCAPIN)
ET PIERRE BERTIN (GÉRONTE). THÉÂTRE MARIGNY (1949)

d'honneur qu'on offense. — Est-ce que tu es des amis dé cé Géronte? — Oui, Monsieur, j'en suis. — Ah! cadédis! tu es dé ses amis, à la vonne hure! *(Il donne plusieurs coups de bâton sur le sac.)* Tiens! boilà cé qué jé té vaille pour lui. — Ah! ah!
80 ah! ah! Monsieur. Ah! ah! Monsieur, tout beau! Ah! doucement, ah! ah! ah! — Va, porte-lui cela dé ma part. Adiusias[1]! » — Ah! Diable soit le Gascon! Ah! *(en se plaignant et remuant le dos, comme s'il avait reçu les coups de bâton).* **(11)**

GÉRONTE, *mettant la tête hors du sac.*

Ah! Scapin, je n'en puis plus.

SCAPIN

Ah! Monsieur, je suis tout moulu, et les épaules me font
85 un mal épouvantable.

GÉRONTE

Comment! c'est sur les miennes qu'il a frappé.

SCAPIN

Nenni, Monsieur, c'était sur mon dos qu'il frappait.

GÉRONTE

Que veux-tu dire? J'ai bien senti les coups, et les sens bien encore.

SCAPIN

90 Non, vous dis-je, ce n'était que le bout du bâton qui a été jusque sur vos épaules.

GÉRONTE

Tu devais donc te retirer un peu plus loin pour m'épargner... **(12)**

SCAPIN, *lui remet la tête dans le sac.*

Prenez garde, en voici un autre qui a la mine d'un étranger.
95 *(Cet endroit est de même que celui du Gascon pour le changement de langage et le jeu de théâtre.)* « Parti[2], moi courir comme

---

1. *Adiusias* : adieu; 2. Baragouin pseudo-germanique qui change le *d* en *t*, le *v* en *f*, le *b* en *p*.

─────── QUESTIONS ───────

11. Est-ce seulement le souci de donner le change à Géronte qui pousse Scapin à jouer ainsi son rôle? Quel plaisir se donne-t-il à lui-même?

12. Analysez la situation comique créée ici. Pourquoi Scapin tient-il à laisser croire qu'il a reçu plus de coups de bâton que Géronte? Quel trait de caractère se confirme dans la dernière réplique de Géronte (ligne 92)?

une Basque[1], et moi ne pouvre point troufair de tout le jour sti tiable[2] de Gironte. » *(A Géronte, avec sa voix ordinaire.)* Cachez-vous bien. « Dites-moi un peu, fous, Monsir l'homme, s'il ve plaît, fous savoir point où l'est sti Gironte que moi cherchair? — Non, Monsieur, je ne sais point où est Géronte. — Dites-moi-le, fous, frenchemente, moi li fouloir pas grande chose à lui. L'est seulement pour le donnair une petite régal sur le dos d'une douzaine de coups de bâtonne, et de trois ou quatre petites coups d'épée au trafers de son poitrine[3]. — Je vous assure, Monsieur, que je ne sais pas où il est. — Il me semble que j'y fois remuair quelque chose dans sti sac. — Pardonnez-moi, Monsieur. — Li est assurément quelque histoire là-tetans. — Point du tout, Monsieur. — Moi l'avoir enfie de tonner ain coup d'épée dans sti sac. — Ah! Monsieur, gardez-vous-en bien. — Montre-le-moi un peu, fous, ce que c'être là. — Tout beau[4]! Monsieur. — Quement? tout beau? — Vous n'avez que faire de vouloir voir ce que je porte. — Et moi, je le fouloir foir, moi. — Vous ne le verrez point. — Ah! que de badinemente! — Ce sont hardes qui m'appartiennent. — Montre-moi fous, te dis-je. — Je n'en ferai rien. — Toi ne faire rien? — Non. — Moi pailler de ste bâtonne dessus les épaules de toi. — Je me moque de cela. — Ah! toi faire le trôle! — *(Donnant des coups de bâton sur le sac et criant comme s'il les recevait.)* — Ahi! ahi! ahi! Ah! Monsieur, ah! ah! ah! — Jusqu'au refoir. L'être là un petit leçon pour li apprendre à toi à parlair insolentemente. » — Ah! Peste soit du baragouineux! Ah!

GÉRONTE, *sortant la tête du sac.*

Ah! je suis roué[5].

SCAPIN

Ah! je suis mort.

GÉRONTE

Pourquoi diantre faut-il qu'ils frappent sur mon dos? (13)

---

1. *Courir comme un Basque :* courir vite (expression proverbiale); 2. Ce diable; 3. Le sac tressaille et sursaute (Jacques Copeau); 4. *Tout beau! :* interjection pour arrêter ou imposer silence; l'expression appartient d'ailleurs au style noble; 5. *Roué :* brisé par les coups (comme le condamné à qui on brisait les membres avant de l'étendre sur une roue de carrosse).

──────── QUESTIONS ────────

13. Marquez les différences et les ressemblances de ce passage avec le précédent. Comment les jeux de scène peuvent-ils apporter de la variété au procédé? Pourquoi, cependant, ne sent-on pas de monotonie?

SCAPIN, *lui remettant la tête dans le sac.*

Prenez garde, voici une demi-douzaine de soldats tout
ensemble. *(Il contrefait plusieurs personnes ensemble.)* « Allons,
tâchons à trouver ce Géronte, cherchons partout. N'épargnons
point nos pas. Courons toute la ville. N'oublions aucun lieu.
130 Visitons tout. Furetons de tous les côtés. Par où irons-nous ?
Tournons par là. Non, par ici. A gauche. A droite. Nenni.
Si fait. » *(A Géronte, avec sa voix ordinaire.)* Cachez-vous
bien. « Ah ! camarades, voici son valet. Allons, coquin, il faut
que tu nous enseignes où est ton maître. — Eh ! Messieurs,
135 ne me maltraitez point. — Allons, dis-nous où il est. Parle.
Hâte-toi. Expédions. Dépêche vite. Tôt. — Eh ! Messieurs,
doucement. *(Géronte met doucement la tête hors du sac et aperçoit la fourberie de Scapin.)* — Si tu ne nous fais trouver ton
maître tout à l'heure[1], nous allons faire pleuvoir sur toi une
140 ondée de coups de bâton. — J'aime mieux souffrir toute chose
que de vous découvrir mon maître. — Nous allons t'assommer.
— Faites tout ce qu'il vous plaira. — Tu as envie d'être battu ?
— Je ne trahirai point mon maître. — Ah ! tu en veux tâter ?
Voilà... — Oh ! » *(Comme il est prêt de frapper, Géronte sort
145 du sac et Scapin s'enfuit.)*

GÉRONTE

Ah ! infâme ! Ah ! traître ! Ah ! scélérat ! C'est ainsi que tu
m'assassines ! **(14) (15)**

---

1. *Tout à l'heure :* tout de suite.

────────── QUESTIONS ──────────

14. Montrez la progression dans l'habileté technique de Scapin depuis
le début de la scène. Imaginez comment il peut donner l'illusion de la
présence autour de lui de plusieurs personnages. Cherche-t-il seulement
à se venger ? Ou n'est-il pas entraîné par le feu de l'action et ses talents
de comédien ? — L'habileté de cette fin de scène : pourquoi Géronte,
si docile jusqu'ici, a-t-il l'idée de sortir la tête du sac ?

15. SUR L'ENSEMBLE DE LA SCÈNE II. — Recherchez les quatre moments
de cette scène ; comparez les trois derniers, et montrez en quoi l'effet
final est particulièrement réussi.

— Relevez et analysez les effets comiques. En quoi cette scène est-elle
caractéristique de la farce ?

— Comparez cette scène à la scène VI de l'acte II (intervention de
Sylvestre) ; y a-t-il répétition du même procédé ? Comment Scapin à lui
seul remplit-il le rôle du spadassin ?

Scène III. — ZERBINETTE, GÉRONTE.

ZERBINETTE, *en riant, sans voir Géronte.*

Ah! ah! je veux prendre un peu l'air.

GÉRONTE, *se croyant seul.*

Tu me le payeras, je te jure.

ZERBINETTE, *sans voir Géronte.*

Ah! ah! ah! ah! la plaisante histoire, et la bonne dupe que ce vieillard!

GÉRONTE

5   Il n'y a rien de plaisant à cela, et vous n'avez que faire d'en rire.

ZERBINETTE

Quoi! que voulez-vous dire, Monsieur?

GÉRONTE

Je veux dire que vous ne devez pas vous moquer de moi.

ZERBINETTE

De vous?

GÉRONTE

10   Oui.

ZERBINETTE

Comment? qui songe à se moquer de vous?

GÉRONTE

Pourquoi venez-vous ici me rire au nez? **(16)**

ZERBINETTE

Cela ne vous regarde point, et je ris toute seule d'un conte qu'on me vient de faire, le plus plaisant qu'on puisse entendre;
15   je ne sais pas si c'est parce que je suis intéressée dans la chose,

──────── QUESTIONS ────────

16. Expliquez la complexité de ce quiproquo. Pourquoi Géronte se croit-il immédiatement visé (alors que Zerbinette ignore tout de la scène précédente)? Montrez que le quiproquo se complique, du fait que la méprise porte à la fois sur les événements et sur l'identité d'un personnage. — Le spectateur devine-t-il tout de suite dans quel sens va évoluer la scène? Comment participe-t-il à la situation ainsi créée?

mais je n'ai jamais trouvé rien de si drôle qu'un tour qui vient
d'être joué par un fils à son père pour en attraper de l'argent.

GÉRONTE

Par un fils à son père pour en attraper de l'argent?

ZERBINETTE

Oui. Pour peu que vous me pressiez, vous me trouverez
20 assez disposée à vous dire l'affaire, et j'ai une démangeaison
naturelle à faire part des contes que je sais.

GÉRONTE

Je vous prie de me dire cette histoire. **(17)**

ZERBINETTE *elle le raconte innocemment*

Je le veux bien. Je ne risquerai pas grand'chose à vous la
dire, et c'est une aventure qui n'est pas pour être longtemps
25 secrète. La destinée a voulu que je me trouvasse parmi une
bande de ces personnes qu'on appelle Égyptiens, et qui, rôdant
de province en province, se mêlent de dire la bonne fortune,
et quelquefois de beaucoup d'autres choses. En arrivant dans
cette ville, un jeune homme me vit et conçut pour moi de
30 l'amour. Dès ce moment il s'attache à mes pas, et le voilà
d'abord comme tous les jeunes gens, qui croient qu'il n'y a
qu'à parler, et qu'au moindre mot qu'ils nous disent, leurs
affaires sont faites; mais il trouva une fierté[1] qui lui fit un peu
corriger ses premières pensées. Il fit connaître sa passion aux
35 gens qui me tenaient, et il les trouva disposés à me laisser à lui
moyennant quelque somme. Mais le mal de l'affaire était que
mon amant se trouvait dans l'état où l'on voit très souvent la
plupart des fils de famille, c'est-à-dire qu'il était dénué d'argent; et il a un père qui, quoique riche, est un avaricieux fieffé[2],
40 le plus vilain homme du monde. Attendez. Ne me saurais-je
souvenir de son nom? Hai! Aidez-moi un peu. Ne pouvez-
vous me nommer quelqu'un de cette ville qui soit connu pour
être avare au dernier point?

---

1. *Fierté :* orgueil d'une femme qui résiste à celui qui la courtise (sens du mot
dans le langage galant); **2.** *Fieffé :* voir page 72, note 4.

============ **QUESTIONS** ============

17. Analysez les sentiments de Géronte. Précisez le ton de ses deux
dernières répliques (lignes 18 et 22). Sur quoi se fondent ses pressen-
timents d'être le héros de ce conte?

GÉRONTE

Non.

ZERBINETTE

Il y a à son nom du ron... ronte. Or... Oronte. Non. Gé...
Géronte. Oui. Géronte, justement; voilà mon vilain[1], je l'ai
trouvé, c'est ce ladre-là que je dis. Pour venir à notre conte,
nos gens ont voulu aujourd'hui partir de cette ville, et mon
amant m'allait perdre, faute d'argent, si, pour en tirer de son
père, il n'avait trouvé de secours dans l'industrie[2] d'un serviteur qu'il a. Pour le nom du serviteur, je le sais à merveille. Il
s'appelle Scapin; c'est un homme incomparable, et il mérite
toutes les louanges qu'on peut donner.

GÉRONTE, *à part.*

Ah! coquin que tu es! (18)

ZERBINETTE

Voici le stratagème dont il s'est servi pour attraper sa dupe.
Ah! ah! ah! ah! Je ne saurais m'en souvenir que je ne rie de
tout mon cœur. Ah! ah! ah! Il est allé chercher ce chien d'avare!
ah! ah! ah! et lui a dit qu'en se promenant sur le port avec son
fils, hi! hi! ils avaient vu une galère turque où on les avait
invités d'entrer; qu'un jeune Turc leur y avait donné la collation, ah! que, tandis qu'ils mangeaient, on avait mis la galère
en mer, et que le Turc l'avait renvoyé lui seul à terre dans un
esquif, avec l'ordre de dire au père de son maître qu'il emmenait
son fils en Alger, s'il ne lui envoyait tout à l'heure cinq cents
écus. Ah! ah! ah! Voilà mon ladre, mon vilain, dans de furieuses
angoisses; et la tendresse qu'il a pour son fils fait un combat
étrange avec son avarice. Cinq cents écus qu'on lui demande
sont justement cinq cents coups de poignard qu'on lui donne.
Ah! ah! ah! Il ne peut se résoudre à tirer cette somme de ses

---

1. *Vilain :* avare. *Ladre* insiste encore sur ce sens; 2. *Industrie :* ingéniosité.

―――――――――― **QUESTIONS** ――――――――――

18. Quel trait de caractère révèle tout ce bavardage de Zerbinette?
Le spectateur prend-il intérêt à ce récit de faits déjà connus de lui? —
Quels peuvent être les sentiments de Géronte pendant cette partie du
récit? Imaginez sa mimique. A quel moment se sent-il précisément
concerné? Sur quel ton prononce-t-il *Non* (ligne 44)? — L'effet comique
des efforts que fait Zerbinette pour se rappeler le nom de Géronte. Comment peut-elle ne pas se rendre compte des sentiments de son auditeur?

70 entrailles, et la peine qu'il souffre lui fait trouver cent moyens
ridicules pour ravoir son fils. Ah! ah! Il veut envoyer la justice
en mer après la galère du Turc. Ah! ah! ah! Il sollicite son valet
de s'aller offrir à tenir la place de son fils jusqu'à ce qu'il ait
amassé l'argent qu'il n'a pas envie de donner. Ah! ah! ah! il
75 abandonne, pour faire les cinq cents écus, quatre ou cinq vieux
habits qui n'en valent pas trente. Ah! ah! ah! Le valet lui fait
comprendre à tous coups l'impertinence de ses propositions,
et chaque réflexion est douloureusement accompagnée d'un :
« Mais que diable allait-il faire à cette galère! Ah! maudite
80 galère! Traître de Turc! » Enfin, après plusieurs détours, après
avoir longtemps gémi et soupiré... **(19)** Mais il me semble que
vous ne riez point de mon conte. Qu'en dites-vous?

GÉRONTE

Je dis que le jeune homme est un pendard, un insolent, qui
sera puni par son père du tour qu'il lui a fait; que l'Égyptienne
85 est une malavisée, une impertinente, de dire des injures à un
homme d'honneur qui saura lui apprendre à venir ici débaucher
les enfants de famille, et que le valet est un scélérat qui sera
par Géronte envoyé au gibet avant qu'il soit demain. **(20) (21)**

gallows

───────── **QUESTIONS** ─────────

19. Pourquoi le récit d'une scène déjà vue par le spectateur prend-il
ici une nouvelle valeur comique? — Comment les excès de langage de
Zerbinette aggravent-ils son imprudence? Montrez que son rire ponctue son récit comme les lamentations de Géronte rythmaient la scène VII
de l'acte II. Pourquoi s'interrompt-elle finalement? Pourquoi ne l'a-t-elle
pas fait plus tôt?

20. Prend-on au tragique les grands mots et les menaces du père outragé?
Relevez, dans cette réplique, le mélange du vocabulaire noble et du vocabulaire familier : quel effet en résulte? Géronte est-il bien qualifié pour
jouer ce rôle?

21. SUR L'ENSEMBLE DE LA SCÈNE III. — Étudiez le mécanisme comique
de cette scène. Par quelles étapes arrive-t-on à la situation où Zerbinette fait ses confidences au seul personnage à qui elle ne devrait pas
les faire? Connaissez-vous, dans d'autres comédies, des situations du
même genre?

— Est-il vraisemblable que Zerbinette se confie ainsi à un inconnu?
Quel est son caractère, d'après cette scène?

— L'importance de cette scène dans l'action : en quoi complète-t-elle
la scène précédente? Scapin n'aurait-il pas mieux fait d'écouter les conseils
de Sylvestre (acte III, scène première, ligne 63)? En quoi a-t-il lui-même
provoqué les circonstances qui le démasquent?

— Comparez cette scène à la scène VIII de l'acte II du *Pédant joué*
(voir la Documentation thématique).

Scène IV. — SYLVESTRE, ZERBINETTE.

SYLVESTRE

Où est-ce donc que vous vous échappez[1]? Savez-vous bien
que vous venez de parler là au père de votre amant?

ZERBINETTE

Je viens de m'en douter et je me suis adressée à lui-même,
sans y penser, pour lui conter son histoire.

SYLVESTRE

5 Comment, son histoire?

ZERBINETTE

Oui, j'étais toute remplie du conte, et je brûlais de le redire.
Mais qu'importe? Tant pis pour lui. Je ne vois pas que les choses
pour nous en puissent être ni pis ni mieux.

SYLVESTRE

Vous aviez grande envie de babiller; et c'est avoir bien de la
10 langue que de ne pouvoir se taire de ses propres affaires.

ZERBINETTE

N'aurait-il pas appris cela de quelque autre? **(22)**

Scène V. — ARGANTE, SYLVESTRE.

ARGANTE

Holà! Sylvestre.

SYLVESTRE, *à Zerbinette.*

Rentrez dans la maison. Voilà mon maître qui m'appelle.

ARGANTE

Vous vous êtes donc accordés, coquin; vous vous êtes accordés, Scapin, vous et mon fils, pour me fourber, et vous croyez
5 que je l'endure[2]?

---

1. *S'échapper* : « Se laisser aller à dire quelque chose de déraisonnable »; 2. Que
je puisse l'endurer (verbe au subjonctif).

──────── QUESTIONS ────────

22. Sur la scène IV. — Zerbinette semble-t-elle très affectée de son
imprudence? Comment la justifie-t-elle? Est-ce tellement pour Scapin
que Sylvestre a des craintes?

SYLVESTRE

Ma foi, Monsieur, si Scapin vous fourbe, je m'en lave les mains, et vous assure que je n'y trempe en aucune façon.

ARGANTE *to become involved*

Nous verrons cette affaire, pendard, nous verrons cette affaire, et je ne prétends pas qu'on me fasse passer la plume
10 par le bec[1]. **(23)** *frustré*

Scène VI. — GÉRONTE, ARGANTE, SYLVESTRE.

GÉRONTE

Ah! seigneur Argante, vous me voyez accablé de disgrâce.

ARGANTE

Vous me voyez aussi dans un accablement horrible.

GÉRONTE

Le pendard de Scapin, par une fourberie, m'a attrapé cinq cents écus.

ARGANTE

5 Le même pendard de Scapin, par une fourberie aussi, m'a attrapé deux cents pistoles.

GÉRONTE

Il ne s'est pas contenté de m'attraper cinq cents écus, il m'a traité d'une manière que j'ai honte de dire. Mais il me la payera[2].

ARGANTE

Je veux qu'il me fasse raison de la pièce qu'il m'a jouée.

GÉRONTE

10 Et je prétends faire de lui une vengeance exemplaire.

---

1. *Passer la plume par le bec* à quelqu'un : le frustrer adroitement de quelque chose. Par comparaison avec la pratique qui consiste à passer à travers les deux orifices du bec de l'oie une plume qui, se présentant en travers, empêche l'animal d'avancer lorsqu'il veut passer par une haie; **2.** Le pronom féminin renvoie à *la manière*.

———— **QUESTIONS** ————

23. SUR LA SCÈNE V. — Argante est-il un personnage aussi bouffon que Géronte? Vous semble-t-il décidé à avoir le dernier mot? — Quel trait du caractère de Sylvestre se confirme ici?

SYLVESTRE, *à part.*

Plaise au Ciel que dans tout ceci je n'aie point ma part !

GÉRONTE

Mais ce n'est pas encore tout, seigneur Argante, et un malheur
nous est toujours l'avant-coureur d'un autre. Je me réjouissais
aujourd'hui de l'espérance d'avoir ma fille, dont je faisais toute
15 ma consolation, et je viens d'apprendre de mon homme qu'elle
est partie, il y a longtemps, de Tarente, et qu'on y croit qu'elle
a péri dans le vaisseau où elle s'embarqua.

ARGANTE

Mais pourquoi, s'il vous plaît, la tenir à Tarente, et ne vous
être pas donné la joie de l'avoir avec vous ?

GÉRONTE

20 J'ai eu mes raisons pour cela, et des intérêts de famille m'ont
obligé jusques ici à tenir secret ce second mariage. Mais que
vois-je ? **(24)**

Scène VII[1]. — NÉRINE, ARGANTE, GÉRONTE, SYLVESTRE.

GÉRONTE

Ah ! te voilà, nourrice ?

NÉRINE, *se jetant à ses genoux.*

Ah ! seigneur Pandolphe, que...

GÉRONTE

Appelle-moi Géronte, et ne te sers plus de ce nom. Les raisons ont cessé, qui m'avaient obligé à le prendre parmi vous
5 à Tarente.

NÉRINE

Las ! que ce changement de nom nous a causé de troubles
et d'inquiétudes dans les soins que nous avons pris de vous
venir chercher ici !

---

1. Cette scène est empruntée en partie du dénouement de *Phormion* (acte V, scène
première, 734-764), mais Molière a précipité la fin de la comédie.

--- **QUESTIONS** ---

24. Sur la scène VI. — Montrez qu'il s'agit d'une scène de transition.
Pour expliquer en quoi l'action a progressé, comparez cette scène à la
scène première de l'acte II.
— Le comique de symétrie dans ce passage.

GÉRONTE

Où est ma fille et sa mère[1]?

NÉRINE

10 Votre fille, Monsieur, n'est pas loin d'ici. Mais, avant que
de vous la faire voir, il faut que je vous demande pardon de
l'avoir mariée, dans l'abandonnement où, faute de vous rencontrer, je me suis trouvée avec elle.

GÉRONTE

Ma fille mariée!

NÉRINE

15 Oui, monsieur.

GÉRONTE

Et avec qui?

NÉRINE

Avec un jeune homme nommé Octave, fils d'un certain
seigneur Argante.

GÉRONTE

Ô ciel!

ARGANTE

20 Quelle rencontre!

GÉRONTE

Mène-nous, mène-nous promptement où elle est.

NÉRINE

Vous n'avez qu'à entrer dans ce logis.

GÉRONTE

Passe devant. Suivez-moi, suivez-moi, seigneur Argante.

SYLVESTRE

Voilà une aventure qui est tout à fait surprenante! **(25)**

---

1. Il est naturel que Géronte se préoccupe aussi du sort de sa seconde femme;
mais nous savons depuis l'acte premier (scène II, p. 28) qu'elle est morte. La réponse
de Nérine apprendra discrètement cette mort à Géronte, qui ne lui accordera qu'un
rapide mot de regret (acte III, scène IX).

————— QUESTIONS —————

25. SUR LA SCÈNE VII. — L'action se précipite. Avez-vous l'impression
que Molière y attache beaucoup d'importance? Pourquoi? Comment
la réflexion de Sylvestre souligne-t-elle à plaisir l'invraisemblance de
la situation? Analysez le comique qui en découle.

Scène VIII. — SCAPIN, SYLVESTRE.

SCAPIN

Hé bien! Sylvestre, que font nos gens?

SYLVESTRE

J'ai deux avis à te donner. L'un, que l'affaire d'Octave est accommodée. Notre Hyacinte s'est trouvée la fille du seigneur Géronte; et le hasard a fait ce que la prudence des pères avait
5 délibéré[1]. L'autre avis, c'est que les deux vieillards font contre toi des menaces épouvantables, et surtout le seigneur Géronte.

SCAPIN

Cela n'est rien. Les menaces ne m'ont jamais fait mal, et ce sont des nuées qui passent bien loin sur nos têtes.

SYLVESTRE

Prends garde à toi; les fils pourraient bien raccommoder
10 avec les pères, et toi demeurer dans la nasse.

SCAPIN

Laisse-moi faire, je trouverai moyen d'apaiser leur courroux, et...

SYLVESTRE

Retire-toi, les voilà qui sortent.

Scène IX. — GÉRONTE, ARGANTE, SYLVESTRE, NÉRINE, HYACINTE.

GÉRONTE

Allons, ma fille, venez chez moi. Ma joie aurait été parfaite si j'y avais pu voir votre mère avec vous.

ARGANTE

Voici Octave tout à propos. (26)

---

1. *Délibérer* : décider, résoudre.

=========== QUESTIONS ===========

26. Sur les scènes VIII et IX. — Quel trait de caractère Scapin montre-t-il ici?

— La justesse de l'avis que donne Sylvestre à la ligne 9 de la scène VIII Montrez ce que l'image qu'il emploie a d'expressif et d'heureux.

— Quel dénouement est prévisible pour Scapin?

SCÈNE X. — OCTAVE, ARGANTE, GÉRONTE,
HYACINTE, NÉRINE, ZERBINETTE
SYLVESTRE.

ARGANTE

Venez, mon fils, venez vous réjouir avec nous de l'heureuse
aventure de votre mariage. Le ciel...

OCTAVE, *sans voir Hyacinte.*

Non, mon père, toutes vos propositions de mariage ne ser-
viront de rien. Je dois lever le masque avec vous, et l'on vous
5 a dit mon engagement.

ARGANTE

Oui; mais tu ne sais pas...

OCTAVE

Je sais tout ce qu'il faut savoir.

ARGANTE

Je veux te dire que la fille du seigneur Géronte...

OCTAVE

La fille du seigneur Géronte ne me sera jamais de rien.

GÉRONTE

10 C'est elle...

OCTAVE, *à Géronte.*

Non, Monsieur, je vous demande pardon, mes résolutions
sont prises.

SYLVESTRE, *à Octave.*

Écoutez.

OCTAVE

Non, tais-toi, je n'écoute rien.

ARGANTE, *à Octave.*

15 Ta femme...

OCTAVE

Non, vous dis-je, mon père, je mourrai plutôt que de quitter
mon aimable Hyacinte. *(Traversant le théâtre pour aller à elle.)*
Oui, vous avez beau faire, la voilà celle à qui ma foi est engagée;
je l'aimerai toute ma vie, et je ne veux point d'autre femme...

ARGANTE

20 Hé bien! c'est elle qu'on te donne. Quel diable d'étourdi,
qui suit toujours sa pointe[1]!

---

1. Qui poursuit son idée avec obstination (comme l'oiseau qui fait une pointe
qui fonce vers le ciel).

HYACINTE, *montrant Géronte.*

Oui, Octave, voilà mon père que j'ai trouvé, et nous nous voyons hors de peine.

GÉRONTE

Allons chez moi, nous serons mieux qu'ici pour nous entre-
25 tenir. (**27**)

HYACINTE, *montrant Zerbinette.*

Ah! mon père, je vous demande par grâce que je ne sois pas séparée de l'aimable personne que vous voyez : elle a un mérite qui vous fera concevoir de l'estime pour elle quand il sera connu de vous.

GÉRONTE

30 Tu veux que je tienne chez moi une personne qui est aimée de ton frère et qui m'a dit tantôt au nez mille sottises de moi-même!

ZERBINETTE

Monsieur, je vous prie de m'excuser. Je n'aurais pas parlé de la sorte, si j'avais su que c'était vous, et je ne vous connaissais
35 que de réputation.

GÉRONTE

Comment! que de réputation? (**28**)

HYACINTE

Mon père, la passion que mon frère a pour elle n'a rien de criminel, et je réponds de sa vertu.

GÉRONTE

Voilà qui est fort bien. Ne voudrait-on point que je mariasse
40 mon fils avec elle! Une fille qui, inconnue, fait le métier de coureuse[1]! (**29**)

---

1. *Coureuse :* vagabonde, fille de mauvaise conduite.

--- QUESTIONS ---

27. A quel moyen comique Molière recourt-il ici? A-t-il déjà été uti-lisé dans sa pièce? Montrez qu'il est rendu vraisemblable par le caractère d'Octave, souligné par la dernière réplique d'Argante. Cherchez d'autres éléments comiques ici. La situation est-elle entièrement éclaircie?

28. Analysez l'excellent comique de ces deux répliques. Montrez que l'entretien a changé de direction. Pourquoi?

Scène XI. — LÉANDRE, OCTAVE, HYACINTE, ZERBINETTE, ARGANTE, GÉRONTE, SYLVESTRE, NÉRINE.

LÉANDRE

Mon père, ne vous plaignez point que j'aime une inconnue sans naissance et sans bien. Ceux de qui je l'ai rachetée viennent de me découvrir qu'elle est de cette ville et d'honnête famille; que ce sont eux qui l'ont dérobée à l'âge de quatre ans; et
5 voici un bracelet qu'ils m'ont donné, qui pourra nous aider à trouver ses parents.

ARGANTE

Hélas! à voir ce bracelet, c'est ma fille que je perdis à l'âge que vous dites.

GÉRONTE

Votre fille?

ARGANTE

10 Oui, ce l'est, et j'y vois tous les traits qui m'en peuvent rendre assuré.

HYACINTE

Ô Ciel! que d'aventures extraordinaires! **(30)**

Scène XII. — CARLE, LÉANDRE, OCTAVE, GÉRONTE, ARGANTE, HYACINTE, ZERBINETTE, SYLVESTRE, NÉRINE.

CARLE

Ah! Messieurs, il vient d'arriver un accident étrange.

───── **QUESTIONS** ─────

29. Sur l'ensemble de la scène X. — Après le quiproquo du début, Octave ne dit plus rien : ce silence est-il vraisemblable?

30. Sur la scène XI. — Ce procédé de reconnaissance n'est-il pas traditionnel dans la comédie antique? Molière y attache-t-il beaucoup d'importance? L'action de la pièce ne semble-t-elle pas terminée? Pourquoi Molière ajoute-t-il deux scènes?

GÉRONTE

Quoi?

CARLE

Le pauvre Scapin...

GÉRONTE

C'est un coquin que je veux pendre.

CARLE

5 Hélas! Monsieur, vous ne serez pas en peine de cela. En passant contre un bâtiment, il lui est tombé sur la tête un marteau de tailleur de pierre qui lui a brisé l'os et découvert toute la cervelle[1]. Il se meurt, et il a prié qu'on l'apportât ici pour vous pouvoir parler avant que de mourir.

ARGANTE

10 Où est-il?

CARLE

Le voilà. (31)

Scène XIII. — SCAPIN, CARLE, GÉRONTE, ARGANTE, etc.

SCAPIN, *apporté par deux hommes, et la tête entourée de linges, comme s'il avait été bien blessé.*

Ahi! ahi! Messieurs, vous me voyez... Ahi! vous me voyez dans un étrange état. Ahi! Je n'ai pas voulu mourir sans venir demander pardon à toutes les personnes que je puis avoir offensées. Ahi! oui, Messieurs, avant que de rendre le dernier 5 soupir, je vous conjure de tout mon cœur de vouloir me pardonner tout ce que je puis vous avoir fait, et principalement le seigneur Argante et le seigneur Géronte. Ahi!

ARGANTE

Pour moi, je te pardonne; va, meurs en repos...

SCAPIN, *à Géronte.*

C'est vous, Monsieur, que j'ai le plus offensé par les coups 10 de bâton que...

---

1. Cyrano de Bergerac est mort ainsi, en 1655.

──────── **QUESTIONS** ────────

31. Sur la scène xii. — N'attendions-nous pas quelque événement de ce genre? Sommes-nous inquiets?
— Imaginez les réactions de chaque personnage.

GÉRONTE

Ne parle pas davantage, je te pardonne aussi. **(32)**

SCAPIN

Ç'a été une témérité bien grande à moi que les coups de bâton que je...

GÉRONTE

Laissons cela.

SCAPIN

15 J'ai, en mourant, une douleur inconcevable des coups de bâton que...

GÉRONTE

Mon Dieu, tais-toi.

SCAPIN

Les malheureux coups de bâton que je vous...

GÉRONTE

Tais-toi, te dis-je, j'oublie tout.

SCAPIN

20 Hélas! quelle bonté! Mais est-ce de bon cœur, Monsieur, que vous me pardonnez ces coups de bâton que...

GÉRONTE

Eh! oui. Ne parlons plus de rien; je te pardonne tout : voilà qui est fait.

SCAPIN

Ah! Monsieur, je me sens tout soulagé depuis cette parole.

GÉRONTE

25 Oui; mais je te pardonne à la charge que tu mourras[1]. **(33)**

---

1. A condition qu'en compensation tu meures.

─────── **QUESTIONS** ───────

32. Pourquoi Géronte cherche-t-il à couper court au propos que Scapin commence à débiter (voir scène VI)? Est-ce par bonté d'âme? Qu'y a-t-il de comique dans l'insistance de Scapin?

33. Montrez ce qu'il y a de comique dans l'entêtement de Géronte et dans cette restriction. Ne soupçonne-t-il pas quelque nouvelle fourberie? Ce rebondissement du comique était-il imprévu?

SCAPIN

Comment, Monsieur?

GÉRONTE

Je me dédis de ma parole si tu réchappes.

SCAPIN

Ahi! ahi! Voilà mes faiblesses qui me reprennent.

ARGANTE

Seigneur Géronte, en faveur de notre joie, il faut lui pardonner sans condition.

GÉRONTE

Soit.

ARGANTE

Allons souper ensemble pour mieux goûter notre plaisir.

SCAPIN[1]

Et moi, qu'on me porte au bout de la table, en attendant que je meure. (34) (35) (36)

---

1. « Au théâtre, suivant une tradition qui remonte probablement à Molière, Scapin, pour dire ces derniers mots, se redresse avant de se faire triomphalement emporter » (Despois et Mesnard). « Scapin rebondit sur place en disant : « Et moi? », arrache son bandage de tête qu'il jette en l'air en disant : « Qu'on me porte au bout de la table », et saute sur les épaules de l'un des porteurs, à droite, en disant : « En attendant que je meure » (Jacques Copeau).

─────── **QUESTIONS** ───────

34. Ce pardon est-il vraiment sincère de la part de Géronte? Pouvait-il l'être?

35. SUR L'ENSEMBLE DE LA SCÈNE XIII. — Comment Scapin extorque-t-il le pardon de Géronte? Montrez que sa dernière pirouette complète son caractère.

— L'accident de Scapin semble-t-il être pris au sérieux par les autres personnages eux-mêmes?

36. SUR L'ENSEMBLE DE L'ACTE III. — A partir de quel moment le dénouement commence-t-il? De quels éléments traditionnels est-il formé? Sur quel rythme se déroule-t-il?

— Relevez dans l'acte III les éléments de farce et ceux qui appartiennent plutôt à la comédie de mœurs.

— Molière se soucie-t-il beaucoup de la morale? de la vraisemblance? Recule-t-il devant la bouffonnerie? Relevez les détails qui ont pu choquer Boileau.

— Quels aspects du caractère de Scapin sont particulièrement mis en valeur dans cet acte? Sur quelle impression finale reste le spectateur?

DOCUMENTATION THÉMATIQUE

réunie par la Rédaction des Nouveaux Classiques Larousse.

1. Molière et ses modèles :

    1.1. *Phormion* de Térence ;

    1.2. *Le Pédant joué* de Cyrano de Bergerac (1654).

2. *Joguenet ou les Vieillards dupés.*

3. Les reprises d'un procédé :

    3.1. *L'Amour médecin* (I, VI) ;

    3.2. *Monsieur de Pourceaugnac* (III, VI).

4. La dignité de la farce.

5. La mise en scène des *Fourberies* :

    5.1. Jacques Copeau évoque *les Fourberies;*

    5.2. La mise en scène de Jacques Copeau ;

    5.3. « Une mise en scène est un aveu » (L. Jouvet).

Toutes les notes sont rejetées à la fin de la Documentation thématique, page 156.

1. MOLIÈRE ET SES MODÈLES

1.1. *PHORMION* DE TÉRENCE

Voici d'abord quelques extraits de la comédie de Térence, Phor-mion *(traduction Jules Marouzeau, Edition Les Belles Lettres). Le premier passage devra être rapproché du récit d'Octave (acte premier, scène II de la pièce de Molière). Géta et Dave, esclaves de Démiphon, sont en scène au début de la comédie et nous exposent la situation (Dave ne reparaîtra plus au cours de la pièce; il ne sert qu'aux besoins de l'exposition). Géta raconte comment son jeune maître Antiphon s'est épris d'une jeune orpheline : Il se tenait bien tranquille jusqu'au jour où, dans la rue, il rencontra un jeune homme en larmes...*

GÉTA. — [...] Nous lui demandons ce qu'il y a : « Jamais, dit-il, comme tantôt la pauvreté ne m'a paru un misé-rable et pesant fardeau. J'ai vu tantôt, ici près, une malheureuse jeune fille qui pleurait sa mère morte; celle-ci était déposée vis-à-vis, et il n'y avait là ni personne amie, ni connaissance, ni voisin, à part une pauvre vieille, pour aider aux funérailles. J'ai été saisi de compassion. La jeune fille, elle, est d'une beauté extraordinaire. » Que dire de plus? Il nous avait tous bouleversés. Là-dessus, Antiphon, tout à coup : « Voulez-vous que nous allions la voir? » Un autre : « C'est mon avis; allons-y; conduis-nous, s'il te plaît. » Nous partons, nous voilà arrivés; nous regardons : belle fille, en effet; et, raison de plus pour le dire, elle n'avait aucun adjuvant à sa beauté : cheveux épars, pieds nus, négligée de sa personne, en larmes, vêtements minables, au point que, si elle n'eût tiré ses avantages de sa beauté naturelle, il y avait là de quoi réduire à néant cette beauté. L'autre, l'amoureux de la joueuse de lyre, dit simplement : « Assez plaisante! » Mais le nôtre...

DAVE. — J'imagine tout de suite : il s'est épris d'elle.

GÉTA. — Imagines-tu à quel point? Regarde où en sont les choses : le lendemain, il se rend tout droit chez la vieille, il la supplie de le mettre à même de la voir; elle refuse net, et lui dit que ce n'est pas correct, qu'elle est citoyenne athénienne, honnête fille issue d'honnêtes gens. S'il la veut pour femme, il lui est loisible de procéder selon la loi; autrement, elle refuse. Voilà notre homme à ne pas savoir ce qu'il doit faire : d'une part il avait envie de l'épouser, et d'autre part, il redoutait son père absent.

(*Phormion*, acte premier, scène II, vers 92-118.)

Naturellement, Antiphon épouse la jeune fille. Mais le retour du père, Démiphon, vient jeter le trouble dans cet arrangement : Géta tente de le tromper avec l'aide de l'autre jeune homme, Phédria. On pourra rapprocher cette scène de la scène IV du premier acte des Fourberies de Scapin, *en remarquant que Molière en a aussi utilisé des éléments pour la scène V de l'acte II.*

DÉMIPHON. — Ainsi donc Antiphon a pris femme sans mon agrément ! Dire que mon autorité — bah ! je passe sur l'autorité — que mon ressentiment au moins ne lui fasse pas d'impression ! N'avoir pas de honte ! Ô conduite effrontée ! Ô Géta conseiller !

GÉTA, *à part.* — Nous y voilà enfin !

DÉMIPHON. — Qu'est-ce qu'ils vont me dire ? Quelle excuse vont-ils trouver ? J'en suis curieux.

GÉTA, *même jeu.* — Eh bien, j'en trouverai une ; occupe-toi d'autre chose.

DÉMIPHON. — Est-ce qu'il me dira : « Je l'ai fait malgré moi ; c'est la loi qui m'a obligé ? » J'entends. Je reconnais que...

GÉTA, *même jeu.* — Tu me plais !

DÉMIPHON. — Mais sciemment, sans rien dire, donner gain de cause à ses adversaires, est-ce qu'à cela aussi la loi l'obligeait ?

PHÉDRIA, *bas à Géta.* — Voilà le point dur.

GÉTA, *bas à Phédria.* — Je m'en tirerai ; laisse faire.

DÉMIPHON. — Je ne sais ce que je dois faire, car ce qui m'arrive est contre toute attente et inimaginable ; je suis si furieux que je ne peux pas disposer mon esprit à la réflexion. Aussi bien, pour tout le monde, c'est justement quand la fortune est favorable qu'il faut le plus réfléchir en soi-même aux moyens de supporter les coups adverses : épreuves, dommages, exils... ; celui qui revient de l'étranger doit sans cesse se représenter ou un méfait de son fils, ou la mort de sa femme, ou une maladie de sa fille ; que ce sont là choses courantes, qui peuvent arriver ; de façon que rien ne prenne son esprit au dépourvu ; tout ce qui se produit contrairement à son attente, à lui de le compter comme bénéfice.

GÉTA. — Ô Phédria, c'est incroyable à quel point je passe mon maître en sagesse ! J'ai réfléchi, moi, à toutes les disgrâces qui m'attendent si le maître revenait : qu'il faudra sans fin tourner la meule au moulin, recevoir des coups ; il faudra porter les entraves, faire la corvée aux champs ; rien ne m'arrivera de tout cela qui trouve mon esprit au dépourvu ; tout ce qui se produira contrairement à mon attente, je le compterai comme bénéfice. — Mais qu'est-ce que tu tardes à aborder le bonhomme et, pour commencer, à lui adresser gentiment la parole?

DÉMIPHON. — C'est Phédria, le fils de mon frère, que je vois venir à ma rencontre !

PHÉDRIA. — Mon oncle, salut !

DÉMIPHON. — Salut ! Mais où est Antiphon ?

PHÉDRIA. — De te voir arriver en bonne santé...

DÉMIPHON. — Je te crois. Réponds à ma question.

PHÉDRIA. — Il va bien. Il est ici. Mais est-ce qu'à ton gré tout s'est bien...?

DÉMIPHON. — Je le voudrais certes.

PHÉDRIA. — Qu'est-ce qu'il y a?

DÉMIPHON. — Tu le demandes, Phédria? C'est un joli mariage que vous avez conclu ici en mon absence !

PHÉDRIA. — Oh! tu lui en veux maintenant pour cela?

GÉTA, *à part.* — Le bon comédien !

DÉMIPHON. — Moi, je ne lui en voudrais pas? Il me tarde qu'il s'offre à ma vue, pour qu'il se rende compte qu'aujourd'hui le père indulgent que j'étais est devenu le plus rigoureux du monde.

PHÉDRIA. — Mais il n'a rien fait, oncle, pour que tu lui en veuilles.

DÉMIPHON. — Voilà donc toujours la même histoire ! Ils se ressemblent tous : en connaît-on un, on les connaît tous.

PHÉDRIA. — Il ne s'agit pas de cela.

DÉMIPHON. — L'un est-il en faute, l'autre se présente pour plaider sa cause ; quand c'est l'autre, le premier est à sa dévotion ; ils se prêtent mutuellement assistance.

GÉTA, *à part.* — Il a joliment dépeint leurs manœuvres, le vieux, sans s'en douter !

DÉMIPHON. — Car s'il n'en était pas ainsi, tu ne tiendrais pas pour lui, Phédria.

PHÉDRIA. — S'il est exact, mon oncle, qu'Antiphon ait commis une faute et se soit montré en la circonstance peu ménager de ton bien ou de ta réputation, je ne plaide pas pour qu'il ne subisse point le sort qu'il a mérité. Mais, si d'aventure quelqu'un s'est rencontré, qui, fort de sa fourberie, a pu tendre des pièges à notre jeunesse et avoir gain de cause, la faute est-elle à nous? ou est-elle aux juges, qui souvent ou par jalousie enlèvent au riche ou par commisération donnent au pauvre?

GÉTA, *à part.* — Si je ne connaissais pas l'affaire, je croirais qu'il dit la vérité.

DÉMIPHON. — Y a-t-il un juge qui puisse reconnaître votre bon droit, quand vous ne répondez pas un mot, comme il a fait?

PHÉDRIA. — Il a tenu son rôle de jeune homme bien né : une fois arrivé devant les juges, il a été incapable d'articuler ce qu'il avait préparé, tant la gêne paralysait alors le timide qu'il est.

GÉTA, *à part.* — A celui-là mes compliments! — Mais qu'est-ce que j'attends pour aborder le vieux au plus vite? (*A Démiphon.*) Maître, salut! Je me réjouis de te voir bien rentré.

DÉMIPHON. — Ô excellent gardien, salut! Soutien vraiment de ma maison, toi à qui j'ai confié mon fils en partant d'ici!

GÉTA. — Depuis un moment, je t'entends nous accuser tous injustement, et moi plus injustement que tous ceux d'ici. Car que voulais-tu que je fasse pour toi en cette affaire? Les lois ne permettent pas à une personne servile de plaider une cause et elle n'a pas la prestation de témoignage.

DÉMIPHON. — Je passe sur tout cela, et je te concède encore une chose : le garçon pris au dépourvu s'est laissé intimider, je veux bien, et toi, tu es un esclave.

(*Phormion*, acte II, scène première, vers 230-295.)

Phédria, de son côté, est amoureux d'une esclave : selon l'usage antique, il a besoin d'une forte somme pour l'acheter. Géta et Phormion tentent alors de soutirer l'argent à son père Chrémès. La scène est à rapprocher de la scène V de l'acte II des Fourberies de Scapin.

GÉTA. — En te quittant, le hasard fait que je rencontre Phormion...

CHRÉMÈS. — Quel Phormion?

GÉTA. — Celui par qui cette fille...

CHRÉMÈS. — Je sais.

GÉTA. — L'idée m'est venue de sonder ses dispositions. Je prends l'homme à part : « Pourquoi, lui dis-je, Phormion, n'avises-tu pas à régler cette affaire entre nous en y mettant plutôt de la bonne que de la mauvaise volonté? Mon maître est généreux et ennemi des procès; or, à vrai dire, tous ses amis, par Hercule, lui ont tantôt conseillé d'une seule voix d'envoyer promener cette femme... »

ANTIPHON, *à part*. — Qu'est-ce que celui-là manigance, et où veut-il en venir à cette heure?

GÉTA. — « ... Me diras-tu qu'il subira les peines prescrites par la loi, s'il la met à la porte? C'est une chose qui a déjà été envisagée. Ah là! tu auras à suer suffisamment, si tu t'en prends à cet homme, avec son éloquence! Mais je suppose qu'il ait le dessous : en définitive, ce n'est tout de même pas sa tête qui est en jeu, mais son argent. » Voyant mon homme ébranlé par ces paroles : « Nous sommes ici seuls, lui dis-je! Or çà, dis combien tu veux qu'on te verse de la main à la main pour que mon maître renonce au présent litige, que celle-là décampe d'ici, et que toi tu ne nous sois plus un embarras... »

ANTIPHON, *à part*. — Les dieux l'ont-ils assez en leur bonne garde?

GÉTA. — « ... Car je sais fort bien, pour peu que tu parles dans le sens du juste et du bien, honnête homme comme il est, vous n'aurez pas besoin d'échanger aujourd'hui trois mots entre vous. »

DÉMIPHON. — Qui t'a chargé de parler ainsi?

CHRÉMÈS. — Mais il n'y avait pas de meilleur moyen pour aboutir à ce que nous voulons.

ANTIPHON, *à part*. — Je suis perdu!

DÉMIPHON. — Continue de t'expliquer.

GÉTA. — Au début, l'individu déraisonnait.

CHRÉMÈS. — Voyons, combien est-ce qu'il demande?

GÉTA. — Combien? Trop. Ce qui lui a passé par la tête.

CHRÉMÈS. — Dis.

GÉTA. — Si on lui donnait un grand talent[1]...

CHRÉMÈS. — Une rossée bien plutôt, par Hercule! Dire qu'il n'a pas honte!

GÉTA. — C'est ce que je lui ai dit : « Je t'en prie, que serait-ce s'il mariait sa fille unique? Ça lui a peu servi de n'en pas élever; voici qu'on lui en trouve une qui prétend à une dot. » Pour revenir à l'essentiel et laisser de côté ses insanités, voici enfin quel a été son dernier mot : « J'ai voulu dès l'abord, dit-il, comme c'était justice, épouser la fille de mon ami, car je me représentais l'inconvénient pour elle d'être donnée en esclavage, elle pauvre, à un riche. Mais il me fallait, à te parler aujourd'hui franchement, une femme qui m'apportât un petit peu d'argent pour liquider des dettes que j'ai; et maintenant encore, si Démiphon veut me donner l'équivalent de ce que m'apporte celle qui m'est promise, il n'y a pas de femme que je préférerais pour épouse à celle-ci. »

ANTIPHON, *à part*. — Est-ce qu'il agit par sottise ou par malice, sciemment ou étourdiment? J'en suis en peine de le dire.

DÉMIPHON. — Et s'il a mis son âme en gage?

GÉTA, *continuant à rapporter les paroles de Phormion.* — « ... Il y a une propriété qui est grevée d'une hypothèque pour dix mines... »

DÉMIPHON. — Va, va! qu'il épouse; je paierai.

GÉTA. — « ... *Item,* il y a une maisonnette pour dix autres... »

DÉMIPHON. — Aïe, aïe! c'est trop!

CHRÉMÈS. — Ne crie pas; réclame-moi ces dix-là.

GÉTA. — « ... Il y a à acheter pour ma femme une petite servante, et puis il faut un petit peu de mobilier; il faut les frais de la noce... Pour ces affaires, dit-il, eh bien mettons dix mines... »

DÉMIPHON. — Intente-moi plutôt sur l'heure six cents procès! Je ne donne rien! Pour que ce malpropre se joue encore de moi!

(*Phormion*, acte IV, scène III, vers 617-669.)

1.2. *LE PÉDANT JOUÉ* DE CYRANO DE BERGERAC (1654).

Voici maintenant deux scènes extraites du Pédant joué, *de Cyrano de Bergerac.*

La première a inspiré à Molière la scène de la galère (acte II, scène VII). Corbineli, valet du jeune Granger, tente de soutirer de l'argent au père : le procédé est exactement celui que reprendra Scapin.

CORBINELI *entre en courant.* — Hélas! tout est perdu, votre fils est mort!

GRANGER. — Mon fils est mort! Es-tu hors de sens?

CORBINELI. — Non, je parle sérieusement. Votre fils, à la vérité, n'est pas mort, mais il est entre les mains des Turcs.

GRANGER. — Entre les mains des Turcs? Soutiens-moi, je suis mort.

CORBINELI. — A peine étions-nous entrés en bateau, pour passer de la porte de Nesle au quai de l'Ecole[2]...

GRANGER. — Et qu'allais-tu faire à l'Ecole, baudet?

CORBINELI. — Mon maître, s'étant souvenu du commandement que vous lui avez fait d'acheter quelque bagatelle pour en régaler votre oncle, s'était imaginé qu'une douzaine de cotrets[3] n'étant pas chers, et ne s'en trouvant pas par toute l'Europe de si mignons comme en cette ville, il devait en porter là : c'est pourquoi nous passions vers l'Ecole pour en acheter; mais à peine avons-nous éloigné la côte, que nous avons été pris par une galère turque.

GRANGER. — Eh! de par le cornet de retors Triton, Dieu marin! qui jamais ouït parler que la mer fût à Saint-Cloud? Qu'il y eût là des galères, des pirates, ni des écueils?

CORBINELI. — C'est en cela que la chose est plus merveilleuse; et, quoique l'on ne les ait point vus en France que là, que sait-on s'ils ne sont point venus de Constantinople jusqu'ici, entre deux eaux?

PAQUIER. — En effet, Monsieur, les Topinambours[4], qui demeurent quatre ou cinq cents lieues au-delà du monde, vinrent bien autrefois à Paris; et l'autre jour encore, les Polonais enlevèrent la princesse Marie, en plein jour, à l'hôtel de Nevers, sans que personne osât branler[5].

CORBINELI. — Mais ils ne se sont pas contentés de ceci; ils ont voulu poignarder votre fils...

GRANGER. — Quoi! sans confession?

CORBINELI. — ... s'il ne se rachetait par de l'argent.

GRANGER. — Ah! les misérables.

CORBINELI. — Mon maître ne m'a jamais pu dire autre chose, sinon : « Va-t'en trouver mon père et lui dire... » Ses larmes aussitôt suffoquent sa parole.

GRANGER. — Que diable aller faire aussi dans la galère d'un Turc? D'un Turc!

CORBINELI. — Ces écumeurs impitoyables ne me voulaient pas accorder la liberté de vous venir trouver, si je ne me fusse jeté aux genoux du plus apparent d'entre eux. « Eh! Monsieur le Turc, lui ai-je dit, permettez-moi d'aller avertir son père, qui vous enverra tout à l'heure sa rançon. »

GRANGER. — Tu ne devais pas parler de rançon. Ils se seront moqués de toi?

CORBINELI. — Au contraire, à ce mot, il a un peu rasséréné sa face. « Va, m'a-t-il dit; mais si tu n'es ici de retour dans un moment, j'irai prendre ton maître dans son collège, et vous étranglerai tous trois aux antennes de notre navire.

GRANGER. — Que diable aller faire dans la galère d'un Turc?

PAQUIER. — Qui n'a peut-être pas été à confesse depuis dix ans.

GRANGER. — Mais penses-tu qu'il soit bien résolu d'aller à Venise?

CORBINELI. — Il ne respire autre chose.

GRANGER. — Le mal n'est donc pas sans remède, Paquier; donne-moi le réceptacle des instruments de l'immortalité[a], *scriptorium scilicet.*

CORBINELI. — Qu'en désirez-vous faire?

GRANGER. — Ecrire une lettre à ces Turcs.

CORBINELI. — Touchant quoi?

GRANGER. — Qu'ils me renvoient mon fils, qu'au reste ils doivent excuser la jeunesse, qui est sujette à beaucoup de fautes.

CORBINELI. — Ils se moqueront, par ma foi, de vous.

GRANGER. — Va-t'en donc leur dire, de ma part, que le premier des leurs qui tombera entre mes mains, je le leur renverrai pour rien... Ah! que diable aller faire en cette galère?

CORBINELI. — Tout cela s'appelle dormir les yeux ouverts.

GRANGER. — Mon Dieu! Faut-il être ruiné à l'âge où je suis? Va-t'en avec Paquier : prends le reste du teston[7] que je lui donnai pour la dépense il n'y a que huit jours... Aller sans dessein dans une galère !... Prends tout le reliquat de cette pièce. Ah! malheureuse géniture, tu me coûtes plus d'or que tu n'es pesant !... Paye la rançon, et ce qui en restera, emploie-le en œuvres pies... Dans la galère d'un Turc !... Bien, va-t'en! Mais misérable, dis-moi que diable allais-tu faire dans cette galère? Va prendre dans mes armoires ce pourpoint découpé que quitta feu mon père l'année du grand hiver.

CORBINELI. — A quoi bon ces fariboles? Vous n'y êtes pas, il faut tout au moins cent pistoles pour sa rançon.

GRANGER. — Cent pistoles! Corbineli, va-t'en lui dire qu'il se laisse pendre sans dire mot.

CORBINELI. — Mademoiselle Genevote n'était pas trop sotte, qui refusait tantôt de vous épouser, sur ce que l'on l'assurait que vous étiez d'humeur, quand elle serait esclave en Turquie, de l'y laisser.

GRANGER. — Je les ferai mentir... S'en aller dans la galère d'un Turc! Hé! quoi faire, de par tous les diables, dans cette galère? Ô galère, galère, tu mets bien ma bourse aux galères!

(*le Pédant joué,* acte II, scène II.)

Le procédé réussit, et voici que Genevote, la jeune fille courtisée par le jeune Granger, se moque du père amoureux d'elle en lui racontant sa propre histoire. Molière a repris la scène (acte III, scène III), mais il en a atténué la cruauté en faisant de la fille une sotte qui raconte ses affaires au premier venu sans savoir à qui elle parle.

GRANGER. — Mademoiselle, soyez-vous venue autant à la bonne heure que la grâce aux pendus, quand ils sont sur l'échelle !

GENEVOTE. — Est-ce l'amour qui vous a rendu criminel? Vraiment, la faute est trop illustre pour vous ne la point pardonner. Toute la pénitence que je vous en ordonne, c'est de rire avec moi d'un petit conte que je suis venue ici pour vous faire. Ce conte, toutefois, se peut appeler une histoire. Elle vient d'arriver, il n'y a pas deux heures, au plus facétieux personnage de Paris. Et vous ne sauriez croire à quel point elle est plaisante. (*Elle rit.*) Quoi! vous n'en riez pas?

GRANGER. — Mademoiselle, je crois qu'elle est divertissante au-delà de ce qui le fut jamais, mais...

GENEVOTE. — Mais vous n'en riez pas?

GRANGER. — Ah, ah, ah, ah, ah! [...]

GENEVOTE. — Traçons en deux paroles le crayon de notre ridicule Docteur. Figurez-vous un rejeton de ce fameux arbre Cocos[8] qui, seul, fournit un pays entier des choses nécessaires à la vie. Premièrement en ses cheveux, on trouve de l'huile, de la graisse et des cordes de luth; [...] son cerveau (peut fournir) d'enclume; ses yeux, de cire, de vernis et d'écarlate; son visage, de rubis; sa gorge, de clous; sa barbe, de décrottoires[9]; ses doigts, de fuseaux; sa peau, de lime; son haleine, de vomitif; sa parole, de ris; ses cautères, de pois[10]; ses dartres, de farine; ses oreilles, d'ailes à moulin; son derrière, de vent à le faire tourner; sa bouche, de four à ban[11]; et sa personne, d'âne à porter la mounée[12]. Pour son nez, il mérite bien une égratignure particulière. Cet authentique nez arrive partout un quart d'heure devant son maître: dix savetiers, de raisonnable rondeur, vont travailler dessous à couvert de la pluie. Hé bien, Monsieur, ne voilà pas un joli Ganymède? Et c'est pourtant le héros de mon histoire. Cet honnête homme régente une classe de l'Université, c'est bien le plus faquin, le plus chiche, le plus avare, le plus sordide, le plus mesquin... Mais riez donc!

GRANGER. — Ah, ah, ah, ah, ah!

GENEVOTE. — Ce vieux rat de collège a un fils, qui, je pense, est le receleur des perfections que la nature a volées au père. Ce chichepenard, ce radoteur...

GRANGER, *à part.* — Ah! malheureux! je suis trahi! C'est sans doute ma propre histoire qu'elle me conte. (*Haut.*) Mademoiselle, passez ces épithètes, il ne faut pas croire tous les mauvais rapports, outre que la vieillesse doit être respectée.

GENEVOTE. — Quoi! le connaissez-vous?

GRANGER. — En aucune façon.

GENEVOTE. — Oh! bien, écoutez donc. Ce vieux bouc veut envoyer son fils à Venise pour s'ôter un rival. Comment, vous ne riez point de ce vieux bossu, ce maussade à triple étage?

GRANGER. — Baste, baste! faites grâce à ce pauvre vieillard!

GENEVOTE. — Or, écoutez le plus plaisant. Ce goutteux, ce loup-garou, ce moine bourru...

GRANGER. — Passez outre, ça ne fait rien à l'histoire.

GENEVOTE. — ... commanda à son fils d'acheter quelque bagatelle, pour faire présent à son oncle le Vénitien, et son fils, un quart d'heure après, lui manda qu'il venait d'être fait prisonnier par des pirates turcs, à l'embouchure du golfe des Bonshommes, et ce qui n'est pas mal plaisant, c'est que le bonhomme aussitôt envoya la rançon. Mais il n'a que faire de craindre pour sa pécune; elle ne courra point de risque sur la mer du Levant.

GRANGER. — Traître Corbineli, tu m'as vendu! mais je te ferai donner la salle[13]. Il est vrai, Mademoiselle, que je suis interdit; mais jugez aussi par le trouble de mon visage de celui de mon âme. L'image de votre beauté joue incessamment dans mon cœur à remue-ménage. Ce n'est pas toutefois du désordre d'un esprit égaré que je prétends mériter ma récompense; c'est de la force de ma passion, que je prétends vous prouver par quatre figures de rhétorique : les Antithèses, les Métaphores, les Comparaisons et les Arguments.

(*Le Pédant joué,* acte II, scène VIII.)

2. JOGUENET OU LES VIEILLARDS DUPÉS

En 1865, un érudit, le bibliophile Jacob (de son véritable patronyme : Paul Lacroix), découvrait à Toulouse le manuscrit d'une pièce intitulée *Joguenet ou les Vieillards dupés.* Frappé par les ressemblances évidentes entre cette pièce et *les Fourberies de Scapin,* P. Lacroix en conclut : « J'ai cru y reconnaître, à première vue, l'écriture de Molière; j'ai constaté sur-le-champ que j'avais sous les yeux le texte primitif des *Fourberies de Scapin.* L'aspect général du manuscrit, la couleur de l'encre, la qualité du papier, l'orthographe surtout ne laissaient pas de doute sur l'âge de cette copie, qui a été faite certainement de 1640 à 1655 ». Cette déduction a été, depuis lors, considérée comme un peu trop hâtive. Sans doute, comme on en jugera par les extraits que nous donnons ensuite, les deux pièces sont très proches l'une de l'autre; les personnages sont les mêmes bien que leurs noms soient différents; *Joguenet* est plus étoffé que *les Fourberies.* Cependant, l'attribution du premier texte à Molière est fortement contestée.

Nous donnons ci-dessous d'amples extraits de l'acte III de *Joguenet;* nous ne citons toutefois pas la scène X, identique à son homologue des *Fourberies,* ni les scènes VI et VII qui présentent peu de différences avec les scènes V et VI des *Fourberies* dans le texte. Néanmoins, un changement important apparaît dans les situations : à l'issue de la scène VII, les deux vieillards sortent, ce qui permet le dialogue des deux valets à la scène suivante — différence notable avec *les Fourberies de Scapin.*

ACTE III, SCÈNE II. — GARGANELLE, JOGUENET.

JOGUENET. — Attendez. Voici une affaire que je me suis trouvée fort à propos pour vous tirer des pattes de ces gens-là. Il faut que je vous enveloppe dans cette couverture, et que...

GARGANELLE. — Ah! Il me semble que j'entends venir quelqu'un.

JOGUENET. — Non, non; point; point, ce n'est personne. Il faut, dis-je, que je vous enveloppe là-dedans, et que vous gardiez de remuer en aucune façon; je vous chargerai sur mon dos, comme un paquet de quelque chose, afin de vous sauver; et je vous porterai ainsi, au travers de vos ennemis, jusque dans votre maison, en passant par la porte qu'il y a derrière, où, quand nous serons une fois arrivés, nous pourrons nous barricader, et envoyer querir main-forte contre la violence.

GARGANELLE. — L'invention est bonne.

JOGUENET. — La meilleure du monde. Vous allez voir comme vos ennemis seront bien attrapés. Mettez-vous là bien à votre aise, et surtout prenez garde de ne point vous montrer et de branler, quelque chose qui puisse arriver.

GARGANELLE. — Laisse-moi faire. Je saurai me tenir dans la position qu'il faut.

JOGUENET. — Ah! Faites vite, cachez-vous et laissez-vous mener comme je voudrai. Je veux vous porter de même que si vous étiez une balle de marchandise. Cachez-vous asture, faites vite. Voilà qui est fait. Nous sommes perdus. Voici un spadassin qui vous cherche. Ne branlez pas au moins. Tournez-moi le dos et appuyez la tête à la muraille. (*Ici Joguenet contrefait sa voix, et, s'étant écarté au bout du théâtre, il fait un autre personnage et dit*): Quoi! Je n'aurai pas l'avantage de tuer ce Garganelle? Quelqu'un ne m'enseignera-t-il pas où il est? J'ai couru comme un Basque tout le jour sans pouvoir le rencontrer. Sambleu! Je le trouverai, se fût-il caché au centre de la terre! Holà! Hé! Ecoute ici, garçon. Je te baille un louis si tu m'enseignes un peu où peut être Garganelle. Oui, morbleu! Je le cherche partout sans savoir encore de ses nouvelles. (*Ici Joguenet se tourne de l'autre côté du théâtre, et, prenant son ton naturel dit*): Et pour quelle affaire, Monsieur, cherchez-vous le seigneur Garganelle? Vous me paraissez fort en colère contre lui. (*Contrefaisant sa voix.*) Il me le paiera bien si je le tiens; je le veux faire mourir sous les coups de bâton. (*Il reprend son ton naturel*). Oh! Monsieur, les coups de bâton ne se donnent point aux gens faits comme lui, et ce n'est pas un homme à être traité de la sorte. (*Il se tourne de l'autre côté et contrefait sa voix.*) Qui? Ce fat de Garganelle, ce maraud, ce belître? — Le Seigneur Garganelle, Monsieur, n'est ni fat, ni maraud, ni belître, et vous devriez, s'il vous plaît, parler d'autre façon. — Comment, coquin, tu me traites ainsi avec cette hauteur? — Je défends, comme je dois, un homme d'honneur qu'on offense injurieusement. — Est-ce que tu es des amis de Garganelle? — Oui, j'en suis, et de ses meilleurs; je le servirai toute ma vie. — Ah! teste! mort! tu es de ses amis? A la bonne heure. Si je le puis rencontrer, ou des soldats de ma compagnie, il n'en paiera pas moins que de sa vie, ou il consentira au mariage que son fils a contracté avec Sylvie. De quoi s'est-il allé aviser de le vouloir rompre? Cependant, coquin, voilà des coups de bâton que je te donne. Porte-lui cela de ma part. (*Ici, Joguenet frappe sur le dos de Garganelle comme si on le battait lui-même, et dit :*) Ah! Monsieur, tout beau! ah! doucement, je vous prie, je n'en suis pas la cause! Pourquoi me frapper si rudement? Au secours! au secours!

GARGANELLE. — Ah! Joguenet, je n'en puis plus. Ôtons-nous d'ici.

JOGUENET. — Hélas! Monsieur, je suis tout moulu, moi; et les épaules me font un mal si épouvantable que je n'aurai pas les forces de vous porter ailleurs.

GARGANELLE. — Comment donc faire? Ah! me voilà perdu de tous côtés. Ce diable de Valère va causer ma mort.

JOGUENET. — Hé! Monsieur, à la fin, il vous faudra résoudre à ce mariage de votre fils.

GARGANELLE. — Non, non, j'aime mieux mourir plutôt que d'y consentir jamais.

JOGUENET. — Hé bien! comme il vous plaira. Cependant, tout ce que je puis faire pour votre service, c'est de vous cacher ici derrière, dans ce coin et là attendre... Faites vite. Voici un autre qui a la mine d'un étranger. Demeurez-là en repos.

SCÈNE III. — GARGANELLE (*caché*), JOGUENET, ROBIN, FABIAN.

ROBIN. — Holà! holà! hé! où vas-tu! approche un peu ici, dis-moi? Peut-on par ton moyen savoir des nouvelles de Garganelle, que je cherche partout?

JOGUENET. — Non, Monsieur, je ne suis point d'ici, et je ne sais où il est.

ROBIN. — Dis-moi franchement la vérité, car je lui veux parler d'une affaire de très grande conséquence, et lui donner avis que s'il ne se résout bientôt à consentir au mariage de son fils avec cette Egyptienne, il est perdu, et on va lui mettre des gens aux trousses qui, sans faute, lui passeront leur épée au travers de son corps.

JOGUENET. — Ah! que le monde n'est pas si méchant ici qu'en Barbarie; ils s'en garderont bien.

ROBIN. — Non, non, voilà qui est fait si tu le trouves, de ma part tu peux l'en avertir en ami. Prenez garde à vous. Voici une demi-douzaine de soldats bien mutins, qui viennent tous ensemble pour le prendre et se défaire de lui.

JOGUENET. — Pourquoi diantre! en vouloir si méchamment à ce pauvre homme-là et le venir assassiner ainsi? Mais peut-être qu'ils s'y tromperont.

ROBIN, *habillé en cavalier et Fabian en Egyptien, contrefaisant tous deux plusieurs personnes ensemble, disent :*
— Allons, tâchons à trouver ce Garganelle, cherchons partout. N'épargnons point nos pas, courons toute la ville, jusqu'à ce que nous l'ayons rencontré. N'oublions aucun lieu, visitons tout, furetons de tous côtés. Par où irons-nous? Tournons par là... Non, par ici. A gauche, à droite, nenni, si fait.

JOGUENET *dit tout bas à Garganelle :* — Cachez-vous bien, ne bougez pas, et songez à vos affaires.

FABIAN. — Ah! camarades, voici son valet. Allons, coquin, il faut que tu nous enseignes où est Garganelle.

JOGUENET. — Eh! messieurs, ne me maltraitez point, je vous prie.

ROBIN. — Allons, dis-nous où il est. Parle, hâte-toi.

FABIAN. — Expédions, dépêche vite, coquin! Allons donc. Qu'est ceci? Tu ne veux pas parler? Donnons-lui cent coups.

JOGUENET. — Ah! Messieurs, doucement; j'en ai bien reçu assez sans les vôtres.

FABIAN. — Si tu ne nous fais trouver ton maître tout à l'heure, nous allons faire pleuvoir sur toi une ondée de coups de bâton.

JOGUENET. — J'aime mieux souffrir toute chose que de vous découvrir le Seigneur Garganelle.

ROBIN. — Nous allons t'assommer, coquin, de ce pas.

JOGUENET. — Faites tout ce qu'il vous plaira de moi.

FABIAN. — Tu as envie d'être battu, assurément ; tu en as toute la mine.

JOGUENET. — Non, je ne trahirai point mon maître, j'aime mieux aller à la galère.

ROBIN et FABIAN *le frappent et le poursuivent.* — Ah ! tu en veux tâter ; voilà ce que tu mérites. (*Ils se retirent.*)

JOGUENET *s'enfuit.* — Ah ! scélérats ! je suis mort ! je n'en puis plus !

GARGANELLE *s'aperçoit de la fourberie.* — Ah ! infâme ! ah ! scélérat ! c'est toi qui es le scélérat : c'est ainsi que tu me fais assassiner !

SCÈNE IV. — GARGANELLE, SYLVIE, ROBIN.

SYLVIE. — Sortons d'ici. Je veux prendre un peu l'air et me divertir de cette affaire. Ah ! ah ! que cela est drôle !

GARGANELLE. — Tu me le payeras, je te jure.

SYLVIE. — Ah ! ah ! j'en veux rire tout mon saoul.

GARGANELLE. — Il n'y a rien de plaisant à cela, et vous n'avez que faire d'en rire. Cela ne vous touche pas.

SYLVIE. — Quoi ? Que voulez-vous dire, Monsieur ? Ah ! Ah !

GARGANELLE. — Je veux dire que vous ne devez pas vous moquer de moi ainsi.

SYLVIE. — Moi, me moquer de vous ? Je n'ai garde, Monsieur. Ah ! Ah !

GARGANELLE. — Oui, faites vos affaires et ne riez pas à mes dépens.

ROBIN. — Quel procédé est le vôtre aussi, et qu'avez-vous à rire ? Monsieur a-t-il quelque chose de ridicule en soi ?

SYLVIE. — Comment ? qui songe à se moquer de lui ? Je ne suis pas malhonnête.

GARGANELLE. — Pourquoi venez-vous donc me rire au nez ?

SYLVIE. — Cela ne vous regarde point, Monsieur, et je ris toute seule, ah ! ah ! d'un conte qu'on vient de me faire, le plus plaisant qu'on puisse entendre. Je ne sais pas si c'est parce que je suis intéressée dans la chose ; mais je n'ai jamais rien trouvé de si drôle qu'un tour qui vient d'être joué par un fils à son père, pour en attraper de l'argent.

GARGANELLE. — Par un fils à son père, pour en attraper de l'argent ?

SYLVIE. — Oui, j'ai une démangeaison naturelle de faire part des contes que je sais à quiconque les veut écouter, ah ! ah !, et pour peu que vous me pressiez, vous me trouverez assez disposée à vous dire la chose tout entière. Ah ! Ah !

GARGANELLE. — Voyons un peu, s'il vous plaît, racontez-moi cette histoire.

ROBIN. — A quoi allez-vous vous amuser de vouloir entendre des bagatelles qui n'en valent pas peut-être la peine ?

GARGANELLE. — Pourquoi ? Sans tant de façons, parlez ; je suis bien aise de le savoir.

SYLVIE. — Je le veux bien. Je ne risquerai pas grand'chose à vous la dire, cela me servira de divertissement, ah ! ah ! et c'est une aventure qui n'est pas pour être longtemps secrète. La destinée a voulu que je me trouvasse parmi une bande de personnes qu'on appelle Egyptiens et qui, rôdant de province en province, se mêlent de dire la bonne fortune, et quelquefois de beaucoup d'autres choses. En arrivant dans cette ville, un jeune homme me vit et conçut de l'amour pour moi. Dès ce moment il s'attacha à mes pas, et le voilà d'abord comme tous les jeunes gens qui croient qu'il n'y a qu'à parler, et qu'au moindre mot qu'ils nous disent, leurs affaires sont faites ; mais il trouva une fierté qui lui fit un peu corriger ses premières pensées. Il fit connaître sa passion aux gens qui me tenaient, et il les trouva disposés à me laisser à lui, moyennant quelque somme. Mais le mal de l'affaire était que mon amant se trouvait dans l'état où l'on voit très souvent la plupart des gens de famille, c'est-à-dire qu'il était un peu dénué d'argent ; et il a un père qui, quoique riche, est un avare achevé et le plus vilain homme du monde.

ROBIN. — Et qui est celui-là ? Savez-vous ?

SYLVIE. — Attendez. Je ne saurais me souvenir de son nom si vous ne m'aidez un peu. Ne pouvez-vous me nommer quelqu'un de cette ville, Monsieur qui soit connu pour être un avaricieux au dernier point ?

GARGANELLE. — Non, vraiment, je n'en connais point.

SYLVIE. — Il y a à son nom du nel... et commence par un Go... Gor... Gorguinel...

GARGANELLE. — Non, je n'en sais point de ce nom.

SYLVIE. — Ah! je me trompais, ce n'est pas Gorguinel; non, son nom est Gar... voyons, Garga... Garganelle, oui, justement, Garganelle. Je l'ai enfin trouvé, mon vilain, que je dis.

ROBIN. — C'est ce ladre que vous cherchiez tant.

SYLVIE. — Oui, pour revenir à notre conte, nos gens ont voulu aujourd'hui partir de cette ville; et mon amant m'allait perdre faute d'argent si, pour en tirer de son père, il n'avait trouvé du secours dans l'industrie d'un serviteur qu'il a, fort adroit, le nom duquel je sais à merveille : il s'appelle Joguenet; c'est un homme incomparable, et il mérite toutes les louanges qu'on saurait donner à un serviteur fidèle.

GARGANELLE, *à part.* — Ah! coquin que tu es!

SYLVIE. — Voici le stratagème dont il s'est servi pour attraper sa dupe. Ah! ah! je ne saurais m'en souvenir que je ne rie de tout mon cœur. Ah! ah! il est allé trouver ce chien d'avare, et il lui a dit qu'en se promenant sur le port avec son fils, ils avaient vu une galère turque où on les avait invités d'entrer.

GARGANELLE, *à part.* — Ah! maudite galère.

SYLVIE. — ... Qu'un jeune Turc leur avait donné une collation; que, tandis qu'ils mangeaient, on avait mis insensiblement la galère en mer, et que le Turc l'avait renvoyé, lui seul, à terre dans un esquif, avec ordre de dire au père de son maître qu'il emmenait son fils en Alger, s'il ne lui envoyait tout à l'heure cinq cents écus.

ROBIN. — Voilà donc le ladre et le vilain dans de furieuses angoisses, n'est-ce pas?

SYLVIE. — Imaginez-vous que la tendresse qu'il a pour son fils fait un combat étrange avec son avarice. Cinq cents écus qu'on lui demande sont justement cinq cents coups de poignard qu'on lui donne. Il ne peut se résoudre à tirer cette somme de ses entrailles, et la peine qu'il souffre lui fait trouver cent moyens ridicules pour ravoir son fils. Premièrement : Il veut envoyer la justice en mer après la galère du Turc. Puis il sollicite son valet de s'en aller offrir à tenir la place de son fils jusqu'à ce qu'il ait amassé l'argent qu'il n'a pas envie de donner. Ensuite, il abandonne, pour faire les cinq cents écus, quatre ou cinq vieux habits qui n'en valent pas trente. Après, le valet lui fait comprendre à tous coups l'impertinence de ses propositions, et chaque réflexion est douloureusement accompagnée d'un « Mais que diable allait-il faire dans cette galère ! Ah ! maudite galère ! Traître de Turc ! sans conscience, sans foi, sans loi... »

ROBIN. — Elle n'est pas tant sotte. La peste ! qu'elle a de l'esprit !

SYLVIE. — Enfin, après plusieurs détours, après avoir longtemps gémi et soupiré.... ah ! ah !... Mais il me semble, Monsieur, que vous ne riez point de mon conte. Qu'en dites-vous ? Ne lui a-t-on pas joué une bonne pièce ? Ah ! Ah ! Parlez...

GARGANELLE. — Je dis que le jeune homme est un pendard, un insolent qui sera puni par son père du tour qu'il lui a fait ; que l'Egyptienne est une mal avisée et une impertinente de dire des injures à un homme d'honneur, qui saura lui apprendre à venir ici débaucher les enfants de famille ; et que le valet est un scélérat qui sera par Garganelle envoyé au gibet avant qu'il soit demain. Adieu, serviteur.

SCÈNE V. — SYLVIE, ROBIN.

ROBIN. — Où est-ce donc que vous vous échappez ! Quel diable de conte allez-vous lui faire ? Savez-vous bien que vous venez de parler là au père de votre amant qui s'en sent piqué ? Mais je n'ai pu vous en avertir à temps et n'ai pas fait semblant de rien.

SYLVIE. — Je m'en doutais bien à la fin, et je me suis adressée à lui-même, sans y penser, pour lui conter son histoire. J'ai ce défaut que naturellement je prends plaisir à faire quelque conte au premier qui se présente à moi, tant j'ai mon naturel à rire. Ah ! Ah !

ROBIN. — Je vois bien que vous aviez grande envie de babiller, et c'est avoir bien de la langue que de ne se pouvoir taire de ses propres affaires et de lui conter son histoire sur le nez.

SYLVIE. — Oui. J'étais toute remplie du conte, et je brûlais de le redire. Mais qu'importe ? qui est galeux, qu'il se gratte. Tant pis pour lui. Je ne vois pas que les choses, pour nous, en puissent être ni pis ni mieux.

ROBIN. — C'est une rage que le sexe a naturellement de parler toujours et de ne rien cacher. Ah ! fi ! Pourquoi aller mettre en jeu le pauvre Joguenet ?

SYLVIE. — Il vaut autant qu'il le sache de moi! N'aurait-il pas appris cela de quelqu'autre?

SCÈNE VIII. — JOGUENET, ROBIN.

ROBIN. — Ah! que je le plains à l'heure qu'il est! Il y a bien de la besogne à découdre pour son pauvre Joguenet.

JOGUENET. — Holà! Robin! écoute. Eh bien! que font nos deux vieillards? Où sont-ils allés?

ROBIN. — Ils sont là qui vont revenir.

JOGUENET. — Tu étais bien présent, à ce qu'ils ont dit?

ROBIN. — Oui. J'ai deux avis à te donner. Le premier est que ces deux vieillards font contre toi des menaces épouvantables, et surtout le Seigneur Garganelle. Il n'y va pas moins que de la corde.

JOGUENET. — Bon, tarare, cela n'est rien. Ne t'en mets pas en peine. Les menaces ne m'ont jamais fait mal, et ce sont des nuées qui passent bien loin sur nos têtes.

ROBIN. — Crois-moi, prends garde à toi. Les fils se pourraient bien raccommoder avec les pères, et toi demeurer du côté du vent de la corde.

JOGUENET. — Laisse-moi faire. J'ai trouvé un moyen d'apaiser leur courroux.

ROBIN. — L'autre avis est qu'il faudrait tâcher d'ajuster l'affaire d'Alcandre.

JOGUENET. — Elle est déjà toute accommodée : en m'informant au vrai de notre Lucrèce, elle s'est trouvée être la propre fille du seigneur Garganelle. Ainsi le hasard a fait heureusement ce que la prudence des pères avait déjà délibéré, et je viens lui en porter lá nouvelle.

ROBIN. — Les voilà qui sortent tous deux, parle.

SCÈNE IX. — ALCANTOR, GARGANELLE, JOGUENET, ROBIN.

JOGUENET. — Allégresse, allégresse! courage, Seigneur Garganelle!

GARGANELLE. — Eh bien! qu'est cela, fripon de Joguenet?

JOGUENET. — Le Ciel enfin vous favorise dans vos malheurs, et je viens de découvrir des nouvelles qui vous feront sans doute beaucoup de plaisir.

ALCANTOR. — Sachons un peu ce qu'il veut dire.

JOGUENET. — C'est qu'une certaine Florice, qui est la nourrice de Lucrèce, votre belle-fille prétendue, vient de m'apprendre qu'elle était de fort honnête condition et qu'elle était fille du Seigneur Bandodini de la ville de Tarente, où vous avez resté autrefois sous le nom de Bandodini.

GARGANELLE. — Appelle-moi Garganelle et ne te sers plus de ce nom de Bandodini, car, à l'heure qu'il est, les raisons ont cessé qui m'avaient obligé de prendre ce nom dans ce pays-là.

JOGUENET. — Et c'est ce changement de nom, sans doute, qui leur a causé ces troubles et ces inquiétudes dans les soins qu'elles ont pris de vous venir chercher ici.

GARGANELLE. — Où est ma fille? et sa mère?

JOGUENET. — Votre fille, Monsieur, n'est pas loin d'ici, mais avant que de vous la faire voir, Florice m'a chargé de vous demander pardon pour elle, de l'avoir mariée dans l'abandonnement où, faute de vous rencontrer, elle s'est trouvée seule chargée de votre fille, et vous en fera ses excuses en particulier dès qu'elle sera remise de son incommodité au pied.

GARGANELLE. — Ma fille est mariée!

JOGUENET. — Oui, Monsieur, et très bien mariée, Dieu merci!

GARGANELLE. — Et avec qui, dis-moi?

JOGUENET. — Avec un jeune homme nommé Alcandre, fils du Seigneur Alcantor.

GARGANELLE. — Ô Ciel! Cela est-il possible?

JOGUENET. — Il n'y a rien de plus vrai.

GARGANELLE. — Quel rencontre si heureux! Le hasard a donc fait déjà ce que nous avions projeté, j'en suis ravi!

ROBIN. — Voilà une aventure tout à fait surprenante.

GARGANELLE. — Mène-nous, Joguenet, mène-nous promptement où elle est.

JOGUENET. — Vous n'avez qu'à entrer dans ce logis.

GARGANELLE. — Passe devant pour nous montrer le chemin; suivez-moi, Seigneur Alcantor, suivez-moi. Allons la voir.

SCÈNE XI. — GARGANELLE, ALCANTOR, ALCANDRE, VALÈRE, LUCRÈCE, SYLVIE, JOGUENET, ROBIN.

VALÈRE. — Mon père, ne vous plaignez point, s'il vous plaît, que j'aime une inconnue, sans naissance et sans bien. Ceux de qui je l'ai rachetée, de votre argent, viennent de me découvrir qu'elle est de cette ville ici et d'honnête famille; que ce sont eux qui l'ont dérobée à l'âge de quatre ans, et voici un bracelet qu'ils m'ont donné pour marque, lequel pourra nous aider à trouver ses parents.

ALCANTOR. — Voyons un peu. Hélas! à regarder ce bracelet! c'est ma fille que je perdis à l'âge que vous dites là.

GARGANELLE. — Votre fille! Encore, serait-il possible?

ALCANTOR. — Oui, ce l'est assurément, c'est le même bracelet, et de plus je remarque asture en elle tous les traits de son visage qui me peuvent rendre témoignage que c'est ma propre fille.

LUCRÈCE. — Ô Ciel! Que d'aventures extraordinaires qui se présentent aujourd'hui pour favoriser nos amants!

JOGUENET. — Voilà ce que c'est que de blâmer les gens avant de les entendre.

GARGANELLE. — Pour toi, tu es un coquin que je veux faire pendre demain pour l'exemple.

JOGUENET. — Hélas! il ne me reste donc qu'un jour à vivre! Pauvre Joguenet! Voilà la belle récompense que vous me faisiez espérer tantôt lorsque je vous ai bien servi.

ALCANTOR. — Pour moi je te pardonne tes fourberies.

JOGUENET. — Et c'est vous pourtant que j'ai le plus offensé, Monsieur. Je ne serai que demi-pendu. Hélas!

GARGANELLE. — Tais-toi. Ne parle pas davantage. Je te pardonne aussi. Voilà qui est fait, j'oublie tout.

JOGUENET. — Hélas! Quelle bonté! Oh! Monsieur, je me sens tout soulagé depuis cette parole : je te pardonne. J'avais déjà mal au cœur et je croyais être pendu dès demain.

GARGANELLE. — Ne parlons plus de rien que de joyeux. Je te pardonne tout, à la charge que tu ne resteras plus chez...

JOGUENET. — Hélas! je ne serai donc pas de fête, moi qui ai eu tant de part à la faire.

ALCANTOR. — Il faut, Seigneur Garganelle, en faveur de notre joie, lui pardonner absolument sans aucune condition.

GARGANELLE. — A la bonne heure, soit! Puisque vous le voulez, qu'il demeure encore pour avoir part à notre fête.

JOGUENET. — Mais est-ce tout de bon, Monsieur, que vous me pardonnez?

GARGANELLE. — Oui, oui, c'est assez dit.

JOGUENET. — Eh bien! Je vous conjure de tout mon cœur, les uns et les autres, de vouloir aussi me pardonner tous en général et en particulier tout ce que je puis avoir fait de mauvais, et principalement le Seigneur Alcantor et le Seigneur Garganelle, que j'ai le plus fâchés, je les prie...

GARGANELLE. — Oui, oui, tais-toi, te dis-je, ne raisonne plus avec moi.

ALCANTOR. — Pour mieux goûter notre plaisir, allons tous souper ensemble chez moi. Entrons; passez, Seigneur Garganelle.

GARGANELLE. — Ce sera après vous, s'il vous plaît, que j'entrerai.

ALCANTOR. — Sans tant de façons, entrez le premier, je vous prie, et les autres suivront.

JOGUENET. — Ah! voilà ce que c'est maintenant! Sans les fourberies de Joguenet, qu'on voulait tant décrier et punir exemplairement, si je n'avais pas bien joué mon rôle, nous ne ferions pas ces deux mariages à la fois.

ROBIN. — Par ma foi, tu l'as échappé belle, Joguenet; eh bien, tant mieux que tu aies tant d'esprit pour conduire les intrigues d'amour et pour savoir mener ainsi les affaires à bon port. Vogue la galère! Vive l'amour et la joie!

3. LES REPRISES D'UN PROCÉDÉ

Il n'est pas rare que Molière réemploie une situation, un mouvement de scène, un procédé comique d'une pièce à l'autre. On pourra, de ce point de vue, rapprocher *les Fourberies de Scapin* (III, III) et *l'Ecole des femmes* (III, IV). On comparera de même le début de la scène VII de l'acte II des *Fourberies* avec la scène VI de l'acte premier de *l'Amour médecin* et avec *Monsieur de Pourceaugnac* (acte III, scène VI).

3.1. *L'AMOUR MÉDECIN* (I, VI)

SCÈNE VI. — LISETTE, SGANARELLE.

LISETTE, *courant sur le théâtre et feignant de ne pas voir Sganarelle*. — Ah! malheur! ah! disgrâce! ah! pauvre seigneur Sganarelle, où pourrai-je te rencontrer?

SGANARELLE, *à part.* — Que dit-elle là?

LISETTE, *même jeu.* — Ah! misérable père? que feras-tu quand tu sauras cette nouvelle?

SGANARELLE, *à part.* — Que sera-ce?

LISETTE. — Ma pauvre maîtresse!

SGANARELLE. — Je suis perdu.

LISETTE. — Ah!

SGANARELLE, *courant après Lisette.* — Lisette.

LISETTE. — Quelle infortune!

SGANARELLE. — Lisette.

LISETTE. — Quel accident!

SGANARELLE. — Lisette.

LISETTE. — Quelle fatalité!

SGANARELLE. — Lisette.

LISETTE, *s'arrêtant.* — Ah! Monsieur!

SGANARELLE. — Qu'est-ce?

LISETTE. — Monsieur...

SGANARELLE. — Qu'y a-t-il?

LISETTE. — Votre fille...

SGANARELLE. — Ah! Ah!

LISETTE. — Monsieur, ne pleurez donc point comme cela, car vous me feriez rire.

SGANARELLE. — Dis donc vite.

LISETTE. — Votre fille, toute saisie des paroles que vous lui avez dites et de la colère effroyable où elle vous a vu contre elle, est montée vite dans sa chambre, et, pleine de désespoir, a ouvert la fenêtre qui regarde sur la rivière.

SGANARELLE. — Eh bien?

LISETTE. — Alors, levant les yeux au ciel : « Non, a-t-elle dit, il m'est impossible de vivre avec le courroux de mon père, et, puisqu'il me renonce pour sa fille, je veux mourir. »

SGANARELLE. — Elle s'est jetée?

LISETTE. — Non, Monsieur, elle a fermé tout doucement la fenêtre, et s'est allée mettre sur son lit. Là, elle s'est prise à pleurer amèrement, et tout d'un coup son visage a pâli, ses yeux se sont tournés, le cœur lui a manqué, et elle m'est demeurée entre les bras.

SGANARELLE. — Ah! ma fille!

LISETTE. — A force de la tourmenter, je l'ai fait revenir[14]; mais cela lui reprend de moment en moment, et je crois qu'elle ne passera pas la journée.

SGANARELLE. — Champagne! Champagne! Champagne! vite, qu'on m'aille quérir des médecins, et en quantité; on n'en peut trop avoir dans une pareille aventure. Ah! ma fille! ma pauvre fille!

3.2. *MONSIEUR DE POURCEAUGNAC* (III, VI)

SCÈNE VI. — ORONTE, SBRIGANI.

SBRIGANI, *feignant de ne pas voir Oronte.* — Ah! quelle étrange aventure! Quelle fâcheuse nouvelle pour un père! Pauvre Oronte, que je te plains! Que diras-tu? et de quelle façon pourras-tu supporter cette douleur mortelle?

ORONTE. — Qu'est-ce? Quel malheur me présages-tu?

SBRIGANI. — Ah! Monsieur, ce perfide de Limosin, ce traître de Monsieur de Pourceaugnac vous enlève votre fille.

ORONTE. — Il m'enlève ma fille!

SBRIGANI. — Oui. Elle en est devenue si folle, qu'elle vous quitte pour le suivre; et l'on dit qu'il a un caractère[15] pour se faire aimer de toutes les femmes.

ORONTE. — Allons vite à la justice. Des archers après eux!

4. LA DIGNITÉ DE LA FARCE

Molière s'est vu reprocher par Boileau d'avoir écrit des farces, non dans ses débuts, mais parvenu au faîte de la gloire. C'est le sens des deux vers célèbres de *l'Art poétique* (III, v. 399-400), reproduits dans les Jugements défavorables, quelques pages plus loin dans cette édition. On analysera l'article « Farce » écrit par Marmontel au XVIIIe siècle pour *l'Encyclopédie*.

FARCE. Espèce de comique grossier, où toutes les règles de la bienséance, de la vraisemblance, et du bon sens, sont également violées. L'absurde et l'obscène sont à la *farce,* ce que le ridicule est à la comédie.

Or on demande s'il est bon que ce genre de spectacle ait, dans un Etat bien policé, des théâtres réguliers et décents. Ceux qui protègent la *farce,* en donnent pour raison, que, puisqu'on y va, on s'y amuse ; que tout le monde n'est pas en état de goûter le bon comique ; et qu'il faut laisser au public le choix de ses amusements. Que l'on s'amuse au spectacle de la *farce,* c'est un fait qu'on ne peut nier. Le peuple romain désertait le théâtre de Térence, pour courir aux bateleurs ; et, de nos jours, *Mérope* et *le Méchant,* dans leur nouveauté, ont à peine attiré la multitude pendant deux mois, tandis que la *farce* la plus grossière a soutenu son spectacle pendant deux saisons entières.

Il est donc certain que la partie du public dont le goût est invariablement décidé pour le vrai, l'utile, et le beau, n'a fait dans tous les temps que le très petit nombre, et que la foule se décide pour l'extravagant et l'absurde. Ainsi, loin de disputer à la *farce* les succès dont elle jouit, j'ajouterai que, dès qu'on aime ce spectacle, on n'aime plus que celui-là ; et qu'il serait aussi surprenant qu'un homme qui fait habituellement ses délices de ces grossières absurdités, fût vivement touché des beautés du *Misanthrope* et d'*Athalie,* qu'il le serait de voir un homme nourri dans la débauche se plaire à la société des honnêtes femmes.

On va, dit-on, se délasser à la *farce :* un spectacle raisonnable applique et fatigue l'esprit ; la *farce* amuse, fait rire, et n'occupe point. Oui, je conviens qu'il est des esprits qu'une chaîne régulière d'idées et de sentiments doit fatiguer. L'esprit a son libertinage et son désordre ; il doit se plaire naturellement où il est le plus à son aise ; et le plaisir machinal et grossier qu'il y prend sans réflexion, émousse en lui le goût des choses simples et décentes. On perd l'habitude de réfléchir comme celle de marcher ; et l'âme s'engourdit et s'énerve, comme le corps, dans une stupide indolence. La *farce* n'exerce ni le goût ni la raison : de là vient qu'elle plaît à des âmes paresseuses ; et c'est pour cela même que ce spectacle est pernicieux. S'il n'avait rien d'attrayant, il ne serait que mauvais.

Mais qu'importe, dit-on encore, que le public ait raison de s'amuser ? ne suffit-il pas qu'il s'amuse ? C'est ainsi que tranchent sur tout, ceux qui n'ont réfléchi sur rien. C'est comme si on disait : Qu'importe la qualité des aliments dont on nourrit un enfant, pourvu qu'il mange avec plaisir ? Le public comprend trois classes : le bas peuple, dont le goût et l'esprit ne sont point cultivés et n'ont pas besoin de l'être, mais qui dans ses mœurs n'est déjà que trop corrompu, et n'a pas besoin de l'être encore par la licence des spectacles ; le monde honnête et poli, qui joint à la décence des mœurs une intelligence épurée et un sentiment délicat de bonnes choses, mais qui lui-même n'a que trop de pente pour des plaisirs avilissants ; l'état mitoyen, plus étendu qu'on ne pense, qui tâche de s'approcher par vanité de la classe des honnêtes gens, mais qui est entraîné vers le bas peuple par une pente naturelle. Il s'agit surtout de savoir de quel côté il est le plus avantageux de décider cette classe moyenne et mixte. Sous les tyrans et parmi les esclaves, la question n'est pas douteuse : il est de la politique de rapprocher l'homme des bêtes, puisque leur condition doit être la même, et qu'elle exige également une patiente stupidité. Mais, dans une constitution de choses fondées sur la justice et la raison, pourquoi craindre d'étendre les lumières et d'ennoblir les sentiments d'une multitude de citoyens, dont la profession même exige le plus souvent des vues nobles, des sentiments honnêtes, un esprit cultivé ? On n'a donc nul intérêt politique à entretenir dans cette classe du public l'amour dépravé des mauvaises choses.

La *farce* est le spectacle de la grossière populace ; et c'est un plaisir qu'il faut lui laisser, mais dans la forme qui lui convient, c'est-à-dire avec une grossièreté innocente, des tréteaux pour théâtres, et pour salles des carrefours : par-là, il se trouve à la bienséance des seuls spectateurs qu'il convienne d'y attirer. Lui donner des salles décentes et une forme régulière, l'orner de musique, de danses, de décorations agréables, et y souffrir des mœurs obscènes et dépravées, c'est dorer les bords de la coupe où le public va boire le poison du vice et du mauvais goût. Admettre la *farce* sur les grands théâtres, en faire le spectacle de prédilection, de faveur, de magnificence, c'est afficher le projet ouvert d'avilir, de corrompre, d'abrutir une nation. Mais ce sont les spectacles qui rapportent le plus. Ils rapporteront davantage, s'ils sont plus indécents encore. Et avec ce calcul que ne verrait-on pas introduire et autoriser ?

Dans le temps que le spectacle français était composé de *moralités* et de *sottises,* la petite pièce était une *farce,* ou comédie populaire, très simple et très courte, destinée à délasser le spectateur du sérieux de la grande pièce. Le modèle de la *farce* est l'*Avocat Patelin,* non pas telle que Brueys l'a remise au théâtre, mais avec autant de naïveté et de vrai comique. Toutes ces scènes, qui dans la copie nous font rire de si bon cœur, se trouvent dans l'original facilement écrites en vers de huit syllabes, et très plaisamment dialoguées. Un morceau de la scène de Patelin avec le berger, suffit pour en donner l'idée.

PATELIN

Or viens çà, parle... qui es-tu ?
Ou demandeur, ou défendeur ?

LE BERGER

J'ai à faire à un entendeur,
Entendez-vous bien, mon doux maître ?
A qui j'ai long-temps mené paistre
Les brebis, et les lui gardoye.
Par mon serment, je regardoye
Qu'il me payait petitement.
Dirai-je tout ?

PATELIN

Dea, sûrement,
A son conseil doit-on tout dire.

LE BERGER

Il est vrai et vérité, sire,
Que je les lui ai assommées,
Tant que plusieurs se sont pâmées
Maintefois, et sont cheutes mortes,
Tant fussent-elles saines et fortes ;
Et puis je lui faisais entendre,
Afin qu'il ne m'en peust reprendre,
Qu'ils mouraient de la clavelée :
Las ! fait-il, ne soit plus meslée
Avec les autres, gette-là.
Volontiers fais-je ; mais cela
Se faisait par une autre voie ;
Car par saint Jehan, je les mangeoye,
Qui savoye bien la maladie.
Que voulez-vous que je vous die ?
J'ai ceci tant continué,
J'en ai assommé et tué
Tant, qu'il s'en est bien aperçu ;
Et quand il s'est trouvé déçu
M'aist Dieu, il m'a fait espier,
Car on les ouist crier.
Je sais bien qu'il a bonne cause ;
Mais vous trouverez bien la clause,
Se voulez, qu'il l'aura mauvaise.

PATELIN

Par ta foi, seras-tu bien aise ?
Que donras-tu, si je renverse
Le droit de ta partie adverse,
Et si je te renvoie absoux ?

LE BERGER

Je ne vous payerai point en soulz,
Mais en bel or à la couronne.

PATELIN

Donc, tu auras ta cause bonne.
....
Si tu parles, on te prendra
Coup à coup aux positions;
En un tel cas, confessions
Sont si très-préjudiciables,
Et nuisent tant, que ce sont diables.
Pour ce, vecy que tu feras,
J'a tost, quand on t'appellera
Pour comparoir en jugement,
Tu ne répondras nullement
Fors *bé*, pour rien que l'on te die.

Ce petit prodige de l'art, où le secret du comique de caractère et du comique de situation était découvert, eut la plus grande célébrité. Après l'avoir traduit en vers français (car il était d'abord écrit en prose), on le traduisit en vers latins pour les étrangers qui n'entendaient pas notre langue. Il semblerait donc que dès lors on avait reconnu la bonne comédie; mais jusqu'au *Menteur* et aux *Précieuses ridicules,* c'est-à-dire durant près de deux siècles, cette leçon fut inutile.

Dans les *farces* du même temps, il y avait peu d'intrigue et de comique, mais quelquefois des naïvetés plaisantes, comme dans celle du savetier qui demande à Dieu cent écus, et qui lui dit de se mettre à sa place.

Beau sire, imaginez le cas,
Et que vous fussiez devenu
Ainsi que moi pauvre et tout nu,
Et que je fusse Dieu, pour voir :
Vous les voudriez bien avoir.

Au bas comique de la *farce,* avait succédé le genre insipide et plat des comédies romanesques et des pastorales; et celui-ci, plus mauvais encore, faisait regretter le premier. On y revenait quelquefois : Adrien de Montluc donna une *farce* en 1616, sous le nom de *Comédie des proverbes,* où il avait réuni tous les quolibets de son temps, lesquels sont presque tous encore usités parmi le bas peuple; et en cela, cette *farce* est un monument curieux. En voici des échantillons.

« La fortune m'a bien tourné le dos, moi qui avais feu et lieu, pignon sur rue, et une fille belle comme le jour ! A qui vendez-vous vos coquilles? à ceux qui viennent de Saint-Michel? Patience passe science. Marchand qui perd ne peut rire; qui perd son bien perd son sang.

Il n'y songea non plus qu'à sa première chemise.
Il est bien loin, s'il court toujours. Il vaut mieux
se taire que de trop parler. Tu es bien heureux d'être
fait, on n'en fait plus de si sot. Je n'aime point le bruit,
si je ne le fais. Je veux que vous cessiez vos riottes, et
que vous soyez comme les deux doigts de la main ; que
vous vous embrassiez comme frères ; que vous vous
accordiez comme deux larrons en foire ; et que vous
soyez camarades comme cochons. Je ne sais comment
mon père est si coiffé de cet avaleur de charrettes fer-
rées : quelques-uns disent qu'il est assez avenant ; mais
pour moi je le trouve plus sot qu'un panier percé, plus
effronté qu'un page de cour, plus fantasque qu'une mule,
méchant comme un âne rouge, au reste plus poltron
qu'une poule, et menteur comme un arracheur de dents...
Vous dites-là bien des vers à sa louange ! etc. »
Cette plaisanterie d'un homme de qualité semble avoir
été faite sur le modèle du rôle de Sancho Pança ; elle
parut la même année que mourut Michel Cervantes, le
célèbre auteur de don Quichotte.
Que le succès de la *farce* se soit soutenu jusqu'alors, on
ne doit pas en être surpris ; mais que la bonne comédie
ayant été connue et portée au plus haut degré de per-
fection, les *farces* de Scarron aient réussi à côté des chefs-
d'œuvre de Molière, c'est ce qu'on aurait de la peine à
croire, si l'on ne savait pas que, dans tous les temps, le
rire est une convulsion douce, que le plus grand nombre
des hommes préfère, autant qu'il le peut sans rougir, aux
plaisirs les plus délicats du sentiment et de la pensée.

5. LA MISE EN SCÈNE DES *FOURBERIES*

Il est toujours intéressant — surtout lorsqu'il s'agit d'une pièce
plus faite pour être jouée que pour être étudiée d'un point
de vue littéraire — de connaître le point de vue d'un homme
de théâtre. Les textes que nous citons dans cette section de
la Documentation thématique sont extraits de l'édition des
Fourberies autrefois éditée par le Seuil et malheureusement
disparue depuis plusieurs années. On réfléchira d'abord sur les
remarques générales de J. Copeau que nous donnons en premier lieu, avant de se référer, voire de tenter de les mettre en
pratique, aux indications du même metteur en scène pour
quelques passages choisis du texte de Molière. Que l'on ait
été satisfait ou déçu par l'expérience, on tirera encore profit
des réflexions de Louis Jouvet sur l'art de la mise en scène et
sur J. Copeau.

5.1. JACQUES COPEAU ÉVOQUE *LES FOURBERIES.*

Ce qui est fondamental dans la farce, c'est son rythme :

> La comédie des *Fourberies,* c'est une course, une pour-
> suite : ce que les Anglais appellent *horse play,* jeu brutal,
> avec une idée de force animale. On y trouve moins de
> traits proprement comiques — au moins dans le person-
> nage principal — que les étincellements et les éclats d'une
> gaîté jeune, ardente, bondissante, intraitable, presque
> féroce.

« Tabarin ne fait pas honte à Molière », écrit encore J. Copeau qui
évoque ensuite le fait que, lors d'une reprise de la pièce en 1736,
selon *Le Mercure,* Dangeville et Dubreuil, jouant les rôles de
Géronte et d'Argante, auraient été masqués. Ce qui amène cette
réflexion :

> L'acteur sous le masque dépasse en puissance celui qui se
> présente à visage découvert. Le masque vit. Il a son style
> et son langage sublime. Ce n'est point par ignorance ou
> caprice que les grands Italiens de la *Commedia* le
> reprirent et, l'ayant repris, ne l'eussent déposé qu'en dépo-
> sant leurs personnages mêmes. Et ce dut être un piètre
> acteur, ce fut, je m'assure, un traître à son art, ce Bis-
> soni dont on dit que débutant à Paris dans le rôle de
> Pinocchio, le public l'ayant invité dès la seconde scène à
> lever son masque, il le quitta lâchement... Mais ce n'est
> pas ici le lieu de vider cette querelle. Quoi qu'il en soit,
> si l'on admet qu'Argante et Géronte aient été joués sous
> le masque, pourquoi ne l'admettre aussi bien de tous les
> personnages des *Fourberies?*

Faisant écho au rythme de la pièce, le personnage de Scapin
contiendrait une certaine férocité :

> Cette férocité, Louis Moland l'a très justement soulignée
> dans telles comédies de la Renaissance, comme *il Cande-
> laio* de Giordano Bruno. Elle est dans Scapin, repris de
> justice et démoralisateur de la jeunesse, descendant direct
> de Brighella masqué de noir et vêtu de blanc, « le plus
> infâme scélérat qui existe », lui-même issu de l'Epidique
> de Plaute et consanguin du Slavero de Ruzzante, lequel
> disait, dans *la Pionvana :* « Quant à moi, rien ne me
> coûte, j'ai l'habitude des querelles. Il me faut les deux
> jeunes filles, et s'il ne suffit pas de tuer un homme, j'en
> tuerai deux... »

Molière, atténuant cette férocité que lui léguait la tradition du personnage, y aurait ajouté la ruse :

L' « habile ouvrier de ressorts et d'intrigues » devient un personnage de grand style français. Non moins doué de cautèle et couardise que les *zanni* traditionnels, il relève sa bassesse instinctive d'une espèce de *bravura* qui semble parodier l'orgueil intellectuel d'un *Dom Juan*. Comme le héros du *Festin de Pierre,* il fait la théorie de son propre personnage : il entend légitimer sa force pernicieuse, et la conscience de ses supériorités réelles s'exprime avec un accent de lyrisme.

5.2. LA MISE EN SCÈNE DE JACQUES COPEAU.

A. Acte I, scène I.

◆ L'attaque : les deux premières répliques.

1. Octave entre violemment par la gauche, à l'avant-scène, dans une agitation extrême, levant les bras au ciel et marchant à grands pas, de gauche à droite, sur le proscenium.

2. *... où je me vois réduit!* l'amène au milieu du proscenium. Au même instant, Silvestre paraît, même voie, en scène, très lentement, formant un contraste avec son jeune maître qui est en pleine passion. Il mâche constamment des graines de tournesol qu'il tire de la poche de sa veste.

3. Octave pivote sur lui-même, revient sur Silvestre : *Tu viens, Silvestre...*

4. Silvestre répond « oui », pesamment, en mâchonnant.

Concernant le jeu de scène de Sylvestre, L. Jouvet écrivait :

Copeau, metteur en scène, prétend que Sylvestre mâchera constamment des graines de tournesol et qu'en disant ses répliques il soufflera de temps en temps devant lui le résidu de ces graines.

Hélas, jamais aucun Sylvestre n'a réussi ce jeu de scène. Mais Raimu dans *Marius,* tout en parlant, mangeait des olives et en crachait les noyaux avec un art qui magnifiait le texte de Pagnol.

◆ La progression à partir de la troisième réplique :

5. Le même jeu se répète, avec des variantes, sur toutes les interrogations de plus en plus pressées d'Octave qui, chaque fois, donne des signes variés d'exaspération grandissante. Il enfonce son chapeau, agite ses mains pour les aérer, etc.

6. Pour les dernières questions, il marche à reculons devant Silvestre qui gagne lentement du terrain, atteint l'escalier de gauche et s'y assied en disant : *Toutes nos affaires.*

7. *Ah! parle, si tu veux...* Octave quitte Silvestre et marche vers la droite, puis tourne sur lui-même et revient sur : *Lorsque mon père...*

B. L'arrivée de Scapin (I, II)

◆ Son entrée en scène.

1. Sur *Un nuage de coups de bâton* Scapin a paru, au fond, par l'ouverture du rideau. Il reste un instant immobile. Sur *O ciel! par où sortir...* il monte lentement les degrés de l'escalier du fond. Il s'avance sur le tréteau, d'une démarche traînante, le haut du corps enveloppé dans son manteau, les mains dans ses poches.

Sur la dernière réplique d'Octave, il atteint le bord du tréteau, s'y tient droit, et dit sans éclat : *Qu'est-ce, seigneur Octave?...* Tout de suite, il donne le sentiment de supériorité.

◆ Scapin pendant le récit d'Octave :

5. *Ne laissez pas de me conter votre aventure,* Scapin s'assied sur le bord du tréteau où il se vautre, laissant pendre ses jambes dans le vide.

6. Pendant la première partie du récit d'Octave, Scapin l'écoute avec assez d'attention. Mais bientôt, il se met à suivre attentivement le vol d'une mouche. Il la voit se poser sur le tréteau à sa droite. Il la guette, s'allonge, étend le bras, et sur

7. *Je ne vois pas encore où ceci veut aller...* tente de l'attraper, mais la manque.

8. Continuer le lazzi de la mouche, en le variant, pendant tout le récit d'Octave, pour en marquer la comique insistance.

◆ L'intervention de Sylvestre.

9. *Si vous n'abrégez...* Silvestre, qui depuis un instant donne des signes d'impatience, souffle devant lui le résidu de graines qu'il mâchait, se lève et intervient assez brutalement.

Scapin écoute, les yeux dans les yeux de son interlocuteur. Il ponctue de signes de tête le récit de Silvestre. Octave fait de même.

◆ Un passage à effet : les deux dernières répliques de Scapin et de Sylvestre.

10. puis [Octave] avance d'un pas sur : *Et par-dessus tout cela...* attirant vers lui l'attention de Scapin par un geste. Les trois têtes sont très rapprochées.

11. Sur : *De quoi la secourir...* il y a un arrêt net. Octave et Silvestre mettent les poings sur les hanches, attendant la réplique. Silence.

12. Scapin se gratte l'aile du nez.

13. *N'as-tu point de honte...* Scapin allonge une taloche à Silvestre qui se recule.

14. *Fi! peste soit du butor!* Scapin ramène ses jambes croisées sous lui.

15. *Je voudrais bien...* Sans s'aider des mains, il se dresse de toute sa taille, et en même temps, tourne le dos

16. pour pivoter de nouveau et faire face sur : *Et je n'étais pas plus grand que cela.*

C. Scapin contre Argante (II, v).

◆ Le contact.

Après avoir mis les deux jeunes gens hors de la scène, Scapin « pivote sur la pointe et fait face au public, goguenard, menaçant. » Arrive son premier adversaire, sa première victime :

> Le vieil Argante est perdu dans son grommellement. En montant l'escalier de gauche, il fait, de dos, des gestes étranges. Il traverse le tréteau vers la droite, en parlant, sans voir Scapin. Alors Scapin entre en scène, se jette dans cette nouvelle action.
>
> Il passe en biais du fond vers la gauche face, rapidement, puis rebondit sur un pied, et s'arrête, comme surpris d'apercevoir Argante : *Monsieur, votre serviteur...*
>
> Argante se retourne, un peu ramassé sur lui-même. Il dit, doucement et tristement : *Bonjour, Scapin.* Puis, il pousse un gros soupir.
>
> Scapin soupire pareillement, et tous deux agitent la tête en se considérant. *Vous rêvez à l'affaire de votre fils ?*
>
> Argante secoue encore la tête, puis : *Je t'avoue que...*

◆ Le grand jeu.

Une vision de cauchemar (l. 96-118).

> Scapin s'arrête net, les bras tendus devant lui avec effroi. Il se frappe le front. Sa voix est altérée. Il joue le grand jeu. Il *étourdit* Argante. Il l'environne, le presse, le saisit par le bras, par le vêtement, s'en va, revient, compte sur ses doigts, jette les hauts cris. On croit qu'il a fini. Il reprend avec plus de passion et de volubilité. La tête d'Argante commence à rouler sur ses épaules, ses jambes à se dérober sous lui. Il dodeline. Vers le milieu de la tirade de Scapin, il donne des signes de détresse, plisse le front, marmonne, tend les mains pour arrêter ce déluge

de calamités. Scapin ne lui fait grâce de rien, ne lui donne point de répit. Il l'assomme.

Le... *jusqu'aux Indes* est immense. Scapin fume. Il est hors d'haleine. Il s'essuie le front et continue à marcher avec des gestes qui continuent l'action du discours.

Le débat (l. 131-142).

Une dernière fois, il se bonde et s'élance. Il rejoint Argante à l'extrémité jardin du tréteau, en deux enjambées. Il le prend à revers, le pousse devant lui à reculons, en lui enfonçant dans le ventre, à grands coups de doigt menaçant, son énumération.

L'énumération finit sur : *et expéditions de leurs clercs.* Les deux personnages sont à l'extrémité cour du tréteau. Argante est tassé sur lui-même, la tête enfoncée dans les épaules. Il a fermé les yeux, et il secoue la tête, négativement, à petits coups, rageusement têtu. On sent que Scapin à bout d'arguments, a envie de lui casser la tête. Il le quitte un peu. Argante continue à secouer la tête. Scapin fait un geste de violence, puis il revient tout contre lui pour dire doucement : ... *sans parler de tous les présents...*

Puis, avec bonhomie : *Donnez cet argent-là...*

Scapin fait donner Sylvestre ; un dernier effort pour persuader (l. 144-151), tandis que Sylvestre apparaît :

Scapin a aperçu la tête de Silvestre qui attend le moment d'entrer en scène. Sans se retourner, il lui fait signe de la main de rester en repos, que le moment n'est pas venu. Et il reprend plus mollement son discours : *Oui, vous y gagnerez...* en observant la physionomie d'Argante, qui retourne à son mutisme, les yeux fermés, les dents serrées, le chef saccadé.

Devant l'obstination d'Argante, Scapin prend les grands moyens (l. 154-157) :

Vous ferez ce qu'il vous plaira... Maintenant, Scapin ne met plus de conviction dans ses propos, résolu à faire intervenir Silvestre. A reculons, il gagne un peu vers le fond, et sans se retourner, appelle son complice en scène par un claquement de doigts. Silvestre paraît derrière le tréteau, au fond.

Sylvestre entre en scène :

Alors Scapin, au milieu du tréteau, s'incline avec beaucoup de grâce, introduisant Silvestre : *Voici l'homme dont il s'agit.*

Argante pousse un petit cri, et comme Scapin traverse de biais vers la face jardin, il traverse rapidement à petits pas pressés le tréteau de droite à gauche pour se réfugier derrière Scapin dont il saisit la basque.

Silvestre a monté l'escalier du fond à grand bruit de bottes et d'éperons. Il se campe avec une sorte de grognement qui fait qu'Argante se recroqueville.

D. Scapin face à Géronte (II, VII).

◆ Un jeu de scène comique (l. 1-14).

Scapin tourne d'abord autour du tréteau sur la scène. Géronte qui est sur le tréteau se porte vers lui en plusieurs directions.

Puis, renonçant à attirer l'attention de Scapin, il descend au proscenium, par l'escalier de la face cour. Alors Scapin remonte sur le tréteau par l'escalier de la face jardin. Il s'apprête à redescendre cour, et se heurte enfin à Géronte (tout cela à régler sur place).

Ah! Monsieur... Il remonte les deux marches qu'il avait descendues. Il s'agite, il est éperdu et parle d'une voix entrecoupée. Il remonte en biais vers le coin jardin-lointain du tréteau. Géronte le suit. Toutes ces interjections très rapides, les unes sur les autres.

◆ Le récit de Scapin (l. 23-38).

Scapin redescend vers le milieu du tréteau, face ; Géronte piétine à ses côtés. Scapin commence son récit. A chaque digression nouvelle ; il marque une émotion plus forte. *et bu du vin que nous avons trouvé le meilleur du monde.* Il s'allonge sur cette phrase, et pleure, s'affalant sur l'épaule de Géronte, le corps remué de sanglots.

Géronte ahuri fait sauter la tête de Scapin sur son épaule : *Qu'y a-t-il de si affligeant ?*

Scapin renifle, avale sa salive, se tamponne les yeux de ses deux poings, et d'une voix changée, naturelle : *Attendez, Monsieur.* La suite, rapide et net.

◆ Un cas de conscience pour Géronte (l. 129-142).

Un jeu de scène révélateur (l. 129-136) :

Va, va vite... Géronte s'est éloigné vers l'escalier de côté (jardin). Scapin est resté en place. Géronte se retourne vers lui avec un petit geste qui le congédie. Puis, il reprend sa marche.

Scapin fait de grands pas, puis une glissade qui rattrape Géronte et leur colloque a lieu sur le bord de l'escalier jardin, Géronte ayant descendu la première marche. Corps à corps rapide.

« Mais enfin il faut se rendre... » (l. 137-142) :

> Géronte saisit la bourse, l'élève entre ses doigts, la contemple, la laisse tomber dans la main de Scapin en disant sur le ton du « de profundis » son dernier *Que diable allait-il faire*... puis rageusement descend l'escalier en tapant des pieds. Il sort.
> En parlant, resté seul, Scapin jongle doucement avec les deux bourses qu'il remet dans ses deux poches sur les derniers mots.

E. « Dans ce sac ridicule... » (III, II).

◆ Un début abrupt (l. 6-10).

> *A l'heure que je vous parle,* Scapin l'a saisi un peu rudement par le bras, comme s'il happait sa proie, et il lui parle presque dans l'oreille, à mi-voix, mais en accentuant les mots.
> *... pour vous tuer.* Géronte pivote brusquement sur lui-même comme s'il avait quelqu'un à ses trousses.
> *Moi?* Etranglé.
> *Oui.* Bas.
> *Et qui?* fort. Scapin fait chut et continue à parler plutôt bas :

◆ Comment Scapin conditionne Géronte (l. 16-22).

> *... et demandent de vos nouvelles.* Géronte pousse un petit grognement et commence de trotter gauchement vers le fond.
> *J'ai vu même...* Scapin le rattrape et le ramène.
> *... de votre maison,* il le lâche.
> *Aller chez vous...* nouveau grognement de Géronte qui trotte *trois* pas à droite.
> *Ni à droite...* Géronte s'arrête, trotte *deux* pas à gauche.
> *Ni à gauche...* s'arrête, lève les bras au ciel.
> *... dans leurs mains.* Géronte s'étaye à son ombrelle.
> *Que ferai-je? Attendez.* Court au lointain, regarde à droite, à gauche. Géronte se met à trembler doucement.

◆ La réussite du stratagème (l. 41-57).

> *Ah?* Géronte ouvre précipitamment son ombrelle, et s'écroule dessous pour se mettre à l'abri.
> Seconde passe.
> *Cachez-vous,* très pathétique, alarmé, en entr'ouvrant le haut du sac. Le sac se recroqueville.

◆ Scapin et le « baragouineux » (l. 108-115).

> *Pardonnez-moi, Monsieur.* Scapin se met tout contre le sac. La scène étant sensée se passer les deux interlocuteurs étant tout près l'un de l'autre.

Ah! Monsieur, gardez-vous-en bien. Scapin, comme s'il reculait devant une menace, butte contre le sac et marche sur les pieds de Géronte. Une bataille entre Scapin et le prétendu Suisse se livre autour du sac qui est bousculé. *Ce sont hardes qui m'appartiennent.* Scapin frappe sur Géronte et s'accoude sur le sac.

◆ La vengeance par le bâton (l. 118-122).

... *faire le trôle.* Scapin, après avoir bien *choisi* son endroit, tape sur le sac, puis il se tourne et sautant en l'air comme sous la cuisson de la douleur envoie ses deux pieds dans le sac. Nouveau coup sur le devant du sac. Le sac recule. Coup par derrière : le sac avance. Coups partout. A chaque coup, le sac sursaute. (Toutes ces réactions de Géronte dans le sac seront réglées sur place et peuvent être variées suivant l'invention de l'acteur.) Scapin crie plus fort que la première fois. Il s'est assis sur son derrière. Pendant un instant, le sac ne bouge plus ; Scapin interrompt ses cris, se demandant si le bonhomme n'est pas assommé.

◆ Scapin et l'art pour l'art (l. 123-135).

Alors on perçoit un gargouillement plaintif qui sort du sac et s'enfle peu à peu. Scapin reprend ses hululements. C'est un concert, Scapin n'arrête pas de crier pendant que Géronte parle.
Soudain, il se redresse, replonge Géronte dans le sac, court ramasser son bâton, descend l'escalier de la face jardin, le remonte, frappe du bâton à gauche, du talon à droite, occupe tous les lieux à la fois. C'est une véritable danse qu'il exécute. Emporté par sa virtuosité, il se donne en spectacle à lui-même, jouant sincèrement ses différents personnages.
A partir du *Allons, dis-nous où il est...* Scapin tourne le dos à Géronte, il est au lointain du tréteau.

◆ Scapin démasqué (l. 137-147).

On observe une certaine agitation à l'intérieur du sac. Par l'ouverture, une main passe, se dégage, puis la tête de Géronte apparaît. Il contemple d'abord la fourberie avec stupéfaction. Puis il veut sortir, mais n'y parvient pas. Alors il dégage son parasol qui avait été enfermé avec lui dans le sac, le brandit, et commence à se porter vers Scapin par petits bonds de ses vieilles jambes enfermées dans le sac.
C'est alors que Scapin, se retournant, l'aperçoit. Il pousse un *Oh!* prolongé, en faisant un énorme entrechat des jambes et des bras qui envoie promener la matraque

en l'air. D'un bond il saute à bas du tréteau à la face et s'enfuit à toutes jambes par le proscenium jardin.

Géronte dans sa poursuite est tombé par terre. Tout en parlant il achève de se désempêtrer du sac.

F. La dernière fourberie de Scapin (III, XIII).

◆ Une vision qui fait pitié :

Deux grands diables de porteurs (ouvriers du port) paraissent au fond. Dans une espèce de cuvette en bois qui rappelle par sa forme le récipient dans lequel les maçons gâchent leur mortier, ils transportent Scapin. Celui-ci a passé ses deux bras dans les bras des porteurs et laisse aller son corps dans tous les sens aux cahots de la marche. Il a tout le bas du corps enfoui dans la cuvette de sorte que ses genoux remontent très haut. On ne voit pas sa tête, copieusement bandée, qui disparaît derrière le dos de l'un des porteurs.

◆ Scapin, le comédien (l. 1-21).

Quand [les porteurs] se mettent à gravir les marches de l'escalier du fond, à chaque marche Scapin pousse une plainte stridente et prolongée. Les deux porteurs s'avancent au bord du tréteau et là ils *vident* Scapin du baquet, puis ils se retirent à l'aplomb de l'escalier de droite où ils forment un groupe. Carle leur fait pendant, à l'aplomb de l'escalier de gauche.

Scapin roule. Puis péniblement, se redresse, assis sur le tréteau, au-dessus du banc. Argante et Géronte, pour mieux surveiller son agonie, l'encadrent à droite et à gauche.

C'est vous, Monsieur... Il agrippe au revers de l'habit Géronte qui s'est trop approché.

Laissons cela. Géronte se dégage. Scapin entremêle son discours de pleurs et de lamentations.

◆ La résurrection de Scapin (l. 32-34).

Allons souper ensemble. Il prend le bras de Géronte. Le cortège se forme, les jeunes gens par couple. Par l'escalier de gauche Carle s'y joint, rejoignant Silvestre au moment où il passe. Nérine ferme la marche, les mains croisées sur son ventre.

Le cortège contourne le tréteau par la gauche, défile au fond, revient par la droite. Dès qu'il s'est engagé dans la coulisse ouverte, Scapin se redresse sans faire usage des mains (comme au premier acte) plus svelte que jamais. Il rebondit sur place en disant : *Et moi?*

arrache son bandage de tête qu'il jette en l'air en disant : *Qu'on me porte au bout de la table,* et saute sur les épaules de l'un des porteurs, à droite, en disant : *En attendant que je meure.*

◆ L'apothèse de Scapin : le jeu de scène final.

Les deux porteurs et Scapin, par l'escalier du fond, rejoignent le cortège, en queue. Le cortège débouche à la face par la coulisse de droite. Tous les personnages se rangent en ligne contre le tréteau et saluent le public. Scapin arrive le dernier sur les épaules de son porteur. Arrivé au centre du proscenium, il le pousse en avant et l'envoie à l'extrémité jardin. Il saute, retombe sur ses pieds et salue le public, très bas.
Rideau.

5.3. « UNE MISE EN SCÈNE EST UN AVEU » (L. JOUVET).

Louis Jouvet suggère le sens — et les limites — des indications données par J. Copeau :

Il faut voir ici un plan personnel, une stratégie dramatique dont il a le secret, un premier tracé dont il prévoit les déviations obligées. Il ne faut pas prendre ces notes comme une recette pour monter la pièce, mais les lire dans l'esprit de pratique savante où elles sont écrites.
Suggestions avant l'acte, indications préalables, suppositions ou suscitations, tout est intéressant de ces imaginations, mais elles ne seront efficaces, et Copeau le sait bien, que par le travail des répétitions, par la rencontre d'interprètes dociles, favorables ou aptes à les bien exprimer.

« C'est qu'il n'y a pas de règles pour mettre en scène » :

— L'art de la mise en scène est l'art d'appréhender une pièce, de prévoir et d'ordonner sa représentation : cet art n'a pas de lois, n'a pas de règles.
Il n'y a pas de règles pour pénétrer l'action dramatique et ses mobiles — pas de règles pour l'adapter à des interprètes, à un public, à toutes les conditions de lieu, d'espace, de temps ou d'argent qui sont imposées — pas de règles pour découvrir les idées, les sentiments ou les sensations que recèle une réplique, pour associer comédiens et spectateurs dans un plaisir d'échange où chacun fournit et reçoit une sympathie nécessaire. Il n'y a pas de règles pour découvrir dans la vérité humaine d'une œuvre dramatique sa vérité théâtrale provisoire, pour l'approprier à la sensibilité d'une époque ou d'un moment.

Et Jouvet de conclure :

L'art du metteur en scène est l'art d'accommoder des contingences. Ce n'est pas une profession, c'est un état.

On est metteur en scène comme on est amoureux. Les variétés sont infinies.

En effet, pour L. Jouvet, une mise en scène reflète celui qui la crée :

Telle est la vertu du metteur en scène dans son travail. Tout ce qu'il a charge d'animer se construit d'abord en lui-même par imagination et suscitation, par un travail intérieur où tout de lui participe.

La vie qu'il a charge de communiquer aux êtres dramatiques porte toujours quelques-unes de ses ressemblances, quelques traces de son caractère, de son tempérament et même de sa constitution physique.

C'est toujours, sans s'en douter, d'après lui-même que le metteur en scène écrit ses notes de travail et qu'il « indique » aux comédiens sur le plateau. A son insu, il se copie lui-même. Une mise en scène est un aveu.

A la limite, on peut se demander si une mise en scène n'est pas à l'usage exclusif de son auteur :

Chaque metteur en scène lit, entend, ressent et imagine différemment.

Le théâtre est un miroir et le metteur en scène, le premier, y reflète son visage et sa personne.

Il n'est rien de plus aisé à écrire et de plus difficile à déchiffrer que les annotations dramatiques.

Toutes sont personnelles. Toutes sont fragmentaires, abrégées, toutes par quelque côté paraissent insolites, absconses, hermétiques ou abusives quand elles ne sont pas inutiles. Il faudrait écrire un long développement pour rendre clairs les quelques mots ou les signes par lesquels elles s'expriment.

---

1. *Talent,* chez les Grecs : unité de compte valant 60 mines ; la *mine,* dont il est question un peu plus loin, vaut 100 drachmes. Les comédies de Térence, adaptées d'auteurs grecs, conservent maints détails des coutumes grecques ; 2. La scène se passe à Paris et il s'agit de traverser la Seine en plein milieu de la ville, un peu en aval du Pont-Neuf ; 3. *Cotrets :* fagots de bois pour se chauffer, à moins qu'il ne s'agisse d'en faire des verges, avec lesquelles le pédagogue corrigera ses élèves ; 4. *Topinambours* ou *Topinambous :* nom donné à un peuple indien du Brésil par les explorateurs et les conquérants ; leur nom était devenu synonyme de peuple sauvage et barbare ; 5. Il y a sans doute ici allusion à un fait d'actualité, sans qu'on puisse préciser l'événement ; 6. Périphrase pédante pour désigner l'écritoire ; le terme est précisé par les deux mots latins *scriptorium scilicet* (c'est-à-dire l'écritoire) ; 7. *Teston :* pièce de monnaie d'argent ; 8. *Cocos :* cocotier ; 9. *Décrottoire :* cure-dents ; 10. On plaçait des pois secs, en effet, dans les cautères ; 11. *A ban :* banal, à l'usage de la collectivité ; 12. *Mounée :* mouture ; 13. Je te ferai fouetter ; 14. A force de la torturer (au sens réel), je l'ai fait revenir à elle ; 15. *Caractère :* espèce de sortilège, ici.

JUGEMENTS SUR « LES FOURBERIES DE SCAPIN »

Du XVIIᵉ siècle à nos jours, on retrouve, sous la plume des critiques, le même type de jugements : les condamnations sévères portent presque toujours sur la grossièreté des procédés comiques et sur l'immoralité de la pièce ; au contraire, les éloges s'adressent à la qualité de la verve de Molière et à la puissance de sa force comique. D'autres critiques, enfin, ont porté un jugement plus nuancé, reconnaissant en même temps la grossièreté de certains procédés comiques et la qualité de l'impression d'ensemble.

JUGEMENTS DÉFAVORABLES

Au XVIIᵉ siècle, Boileau manifeste son hostilité pour la veine populaire du génie comique de Molière. Comparant l'auteur des Fourberies à l'auteur du Phormion, il regrette que Molière ait renoncé à la finesse, à la délicatesse des peintures psychologiques ainsi qu'à la noblesse d'un style soutenu :

> Etudiez la cour et connaissez la ville :
> L'une et l'autre est toujours en modèles fertile.
> C'est par là que Molière, illustrant ses écrits,
> Peut-être de son art eût remporté le prix,
> Si, moins ami du peuple, en ses doctes peintures,
> Il n'eût point fait souvent grimacer ses figures,
> Quitté, pour le bouffon, l'agréable et le fin,
> Et, sans honte, à Térence allié Tabarin.
> Dans ce sac ridicule où Scapin s'enveloppe
> Je ne reconnais plus l'auteur du *Misanthrope.*

Boileau,
Art poétique (III, vers 391-400) [1674].

Fénelon, dans la Lettre à l'Académie *(1716), manifeste la même délicatesse que Boileau. On sait d'ailleurs que si Fénelon annonce, dans certains de ses ouvrages, l' « esprit nouveau », il reste, sur le plan esthétique, un véritable classique et continue de mettre très haut les règles de la bienséance :*

> Il faut avouer que Molière est un grand poète comique [...], mais ne puis-je pas parler en toute liberté de ses défauts ? [...] Il a outré souvent les caractères : il a voulu, par cette liberté, plaire au parterre, frapper les spectateurs les moins délicats et rendre le ridicule plus sensible. [...] Je ne puis m'empêcher de croire, avec M. Despréaux, que Molière, qui peint avec tant de force et de beauté les mœurs de son pays, tombe trop bas quand il imite le badinage de la comédie italienne.

Fénelon,
Lettre à l'Académie (VII) [1716].

Le XVIIe siècle était soucieux de la morale; le XVIIIe siècle fut mora-lisateur. Sébastien Mercier, auteur et théoricien de ce drame qui prétendait élever le niveau moral des spectateurs en ne leur présentant que la vertu récompensée et le vice puni, s'en prend, en 1773, dans son *Nouvel Essai sur l'art dramatique*, au principe même de la comédie qui fait rire ou sourire des sentiments ou des institutions les plus respectables. Il va même jusqu'à parler de rire « sacrilège » :

Et comment sentir de la haine pour ce qui a fait naître le sourire sur les lèvres? Si l'avarice, la fourberie, l'insolence, la duplicité, la trahison sont des vices détestables, *les Fourberies de Scapin, George Dandin, l'École des femmes*, etc., sont des pièces dangereuses; car si l'on ne forme pas les mœurs, on les corrompt.

Sébastien Mercier,
Nouvel Essai sur l'art dramatique (1773).

JUGEMENTS NUANCÉS

Pradon, à la fin du XVIIe siècle, dans ses Nouvelles Remarques sur tous les ouvrages du sieur Despréaux *(1685), tout en reconnaissant le bien-fondé de la critique de Boileau, en souligne néanmoins l'excessive rigueur : si les* Fourberies de Scapin *n'ont pas la finesse du* Misanthrope, *c'est qu'il s'agit de deux sortes de pièces différentes, qui ont chacune leurs mérites.*

M. de Molière n'était pas là [dans *les Fourberies*] si défiguré qu'on ne le put encore reconnaître facilement. J'avoue qu'il n'a pas prétendu faire dans *Scapin* une satire fine comme dans *le Misanthrope*. *Scapin* est une plaisanterie qui a cependant son sel et ses agréments comme *le Mariage* forcé ou *les Médecins*.

Pradon,
Nouvelles Remarques
sur tous les ouvrages du sieur Despréaux (1685).

La Bruyère, dans les Caractères *(4e édition) tient la balance égale entre la froide délicatesse de Térence et la puissance un peu grossière du comique de Molière :*

Il n'a manqué à Térence que d'être moins froid : quelle pureté, quelle exactitude, quelle politesse, quelle élégance, quels caractères! Il n'a manqué à Molière que d'éviter le jargon et le barbarisme et d'écrire purement : quel feu, quelle naïveté, quelle source de la bonne plaisanterie, quelle imitation des mœurs, quelles images, et quel fléau du ridicule! Mais quel homme on aurait pu faire de ces deux comiques!

La Bruyère,
Les Caractères (I, 38) [1689].

Quant à Voltaire, rédigeant pour une édition complète des œuvres de Molière une notice relative aux Fourberies de Scapin, *il porte un jugement tout à fait gratuit sur la valeur que Molière pouvait accorder à ses farces :*

On pourrait répondre à ce grand critique [Boileau] que Molière n'a point allié Térence avec Tabarin dans ses vraies comédies, où il surpasse Térence; que s'il a déféré au goût du peuple, c'est dans ses farces, dont le seul titre annonce du bas comique et que ce bas comique était nécessaire pour soutenir sa troupe. Molière ne pensait pas que *les Fourberies de Scapin* ou *le Mariage forcé* valussent *l'Avare, le Tartuffe, le Misanthrope, les Femmes savantes,* ou fussent du même genre. De plus, comment Despréaux peut-il dire que « Molière peut-être de son art eût remporté le prix »? Qui aura donc ce prix, si Molière ne l'a pas?

Voltaire,
Sommaire des « Fourberies » (1739).

JUGEMENTS FAVORABLES

Il faut attendre le XIXᵉ siècle et surtout le XXᵉ siècle pour voir des critiques reconnaître sans aucune gêne que le génie de Molière s'épanouit autant dans les farces que dans les « grandes comédies ». Schlegel, dans son Cours d'art et de littérature dramatiques *(1809), va même jusqu'à donner la palme à l'œuvre bouffonne :*

C'est dans le comique burlesque que Molière a le mieux réussi, et son talent, de même que son inclination, était pour la farce; aussi a-t-il écrit des farces jusqu'à la fin de sa vie. Ses pièces sérieuses en vers offrent toujours quelques traces d'efforts, on y sent quelque chose de contraint dans le plan et dans l'exécution. [...] Il cherchait à réunir deux choses inconciliables par leur nature : la dignité et la gaieté.

August Wilhelm Schlegel,
Cours d'art et de littérature dramatiques (1809).

Le grand critique universitaire français du début du XXᵉ siècle, Gustave Lanson, est exactement du même avis :

La comédie de Molière relève de la farce. [...] Molière est un farceur. [...] En réalité, Molière est parti de la farce : tout ce qu'il a pris d'ailleurs, il l'y a ramené et fondu, il l'en a agrandie et enrichie. [...] N'en déplaise à Boileau, si Molière est unique, c'est parce qu'il est, avec son génie, le moins académique des auteurs comiques, et le plus près de Tabarin.

Gustave Lanson,
Histoire de la littérature française (18ᵉ édition, 1924).

*L'avis de la grande critique universitaire n'a guère varié depuis Lanson.
Antoine Adam, dans son* Histoire de la littérature française au
XVIIe siècle *(tome III, 1952), donne lui aussi tort à Boileau.*

Suite de lazzi, succession de bons tours, joyeuses inventions, voilà
ce que Molière a voulu, et il a merveilleusement réalisé son dessein.
Le mépris de Boileau est une réaction de pédant.

Ce qui mérite d'être observé dans cette comédie sans prétention,
c'est la virtuosité de l'écrivain. Elle apparaît ici comme nulle part
ailleurs dans Molière. On a l'impression, que ne donnent pas les
très grandes œuvres, d'une sorte de détachement de l'écrivain en
face de la pièce à écrire. Il la regarde : il n'y entre pas.

Antoine Adam, *Histoire de la littérature
française au XVIIe siècle* (tome III, 1952).

*Concluons avec le jugement enthousiaste d'un grand metteur en scène,
Jacques Copeau :*

Quelle est, à s'exercer sur un auteur de comédie, l'influence la
plus saine ? Celle du snobisme intellectuel qui, l'invitant au raffiné,
le conduit au bizarre, et parfois à l'absurde ? [...] Ou celle de la
foule qui lui demande de se simplifier pour être compris d'elle, de
grossir même un peu le trait et de gagner en énergie ce qu'il perd
en délicatesse ? [...] Tabarin ne fait pas de honte à Molière. Il est
pour lui source de vie. Molière donne à Tabarin le style. Son goût
du primitif et du vivant le garde de tomber jamais dans le littéraire.

Jacques Copeau,
Mise en scène des « Fourberies de Scapin », 1951.

Décor de Christian Bérard (1949) pour « les Fourberies de Scapin »
au Théâtre Marigny.

Phot. Bernand.

SUJETS DE DEVOIRS ET D'EXPOSÉS

NARRATIONS

● Leurs maîtres ont pardonné à Sylvestre et à Scapin; Léandre et Octave ont épousé leurs belles. Imaginez un dialogue entre les deux valets : ils rappellent les dangers qu'ils ont courus, ils échangent leurs impressions sur le dénouement.

● Brossette, ayant assisté à une représentation des *Fourberies de Scapin*, écrit à son ami Boileau pour défendre Molière contre la critique de l'auteur de *l'Art poétique* (voir Jugements, page 125).

DISSERTATIONS

● En vous appuyant sur les textes cités dans les Documents, essayez de préciser la notion de l'originalité chez les classiques, et de définir le génie de Molière.

● Que pensez-vous des reproches adressés à Molière par Boileau au chant III de *l'Art poétique* (voir Jugements, page 125)?

● Comparez le Scapin de Molière et le Figaro de Beaumarchais.

● Commentez ce jugement de René Bray :
« Le rire a sa noblesse aussi bien que les pleurs. L'art du rire est un grand art. Molière, poète du rire, était en droit d'attendre de la critique qu'elle fît à ses *Fourberies* un succès sans réserve. »

● Commentez ce jugement à l'aide d'exemples empruntés aux *Fourberies de Scapin* :
« Chez Molière, comme chez tout grand dramaturge, l'imagination l'emporte sur l'observation. »

● Montrez que, chez Molière, le comique de caractère n'est pas absent de la farce.

● Commentez ce jugement de Jacques Copeau : « Quand Molière imite une œuvre de culture, comme le *Phormion*, il sait qu'il faut la regarder d'un peu loin, reconquérir vis-à-vis d'elle du champ, de l'aise, de la liberté [...] Tabarin ne fait pas de honte à Molière. Il est pour lui source de vie. »

● Commentez et, si vous le jugez bon, discutez ce jugement de P.-A. Touchard :
« Bergson a souligné que, dans le personnage comique, il faut toujours reconnaître l'homme. Là où il n'y aurait plus qu'un automate, le rire ne trouverait pas davantage son aliment que là où il n'y a plus qu'un jeu de mots [...] Monsieur Jourdain, Pourceaugnac, Scapin sont des gens [que] nous avons rencontrés çà et là [...] et dont nous avons parfois éprouvé en nous les médiocrités. »

TABLE DES MATIÈRES

IMPRIMERIE HÉRISSEY. — 27000 - ÉVREUX.
Janvier 1972. — Dépôt légal 1972-1er. — No 27097. — No de série Éditeur 10460
IMPRIMÉ EN FRANCE *(Printed in France)*. — 34 662 Z-3-81.